C0-ANB-147

ISBN 88-06-13998-3

Silvana Grasso

L'albero di Giuda

Einaudi

L’albero di Giuda

Sasà Azzarello arrivò puntualissimo come sempre davanti alla cancellata della Villa Comunale Regina Margherita. Erano le sei e tre quarti del quindici giugno.

Il tramonto all'orizzonte insanguava il cielo intonacato di luce e precipitava sulla Villa assieme a uno stormo di rondoni e agli escrementi che gli assioli seminavano dalle vecchie sequoie.

Era una di quelle sere di giugno fresche ventilate con sboffi qua e là di nuvolette cinerine. Si sentiva lo scampanellio dei grilli sparsi per la timpa, e un freddo soffio di vento che ogni sera alle cinque in punto arrampicava dal mare tra secchi cespugli di roverella e un vecchio oleastro, dove una famigliola di gufi singhiozzava aspettando il tramonto.

Faceva caldo già da un mese a Bulàla ma la sera rinfrescava, soprattutto sul parapetto della balaustra che confinava a sud-est la Villa Regina Margherita, in cima allo strapiombo. Di sotto tra aggruppate genziane e l'incantagione dell'erica, il mare.

Dalla Villa Comunale, che sorgeva proprio sullo strapiombo della timpa, se ne sentiva il respiro di quel mare ora accigliato ora timoroso con sbuffi di spume azzurrine che lucentavano da sempre i piccoli scogli ingrommati di muschio e d'alga.

Sicuro, si sentiva il respiro del mare dalla Villa. Un soffio grande generoso lungo come la risacca nelle notti di luna piena, assicurava Sasà Azzarello, a patto però di non essere bestiacce col cervello crudo, e a patto d'averci l'anima.

Solo l'anima consentiva di sentirlo il respiro del mare, sosteneva Sasà. Un'anima fina delicata che stupisse dinanzi al tremolizio delle stelle in cielo, o alla cupa risacca delle notti di luna calante quando s'udiva un singhiozzo d'onde angosciato come il chiú chiú degli assioli tra le vecchie sequoie della Villa.

Anche un filetto d'anima bastava a sentirlo il respiro del mare. Un'anima come la sua che, per quanto attisichita e mingherlina, resisteva a dispetto delle ossa leggerissime del suo scheletro, dei suoi occhi sorcigni piú chiusi che aperti, quasi una fessura nella quale a fatica penetrava la luce il buio il cielo con i suoi colori e il suo frastorno di nuvole e uccelli.

A dispetto delle guance pallide verdastre e del mento che scollato dalla mandibola pareva andarsene a zonzo chissà dove per suo conto.

In barba alla vita stessa che agra era stata con lui Sasà Azzarello lo sentiva il respiro del mare, e pure il cuore ne sentiva.

Anche se quelle bestiacce dei suoi amici della Villa non gli davano conto e lo sfottevano ché ancora, a settantanni, non aveva messo giudizio e si perdeva dietro a fantasie poemi e stramberie. Tale e quale a ventanni.

Mentre lui, Sasà, gli occhietti neri afflitti tra i peli mansueti delle ciglia, col filo d'anima che gli bruciava in petto, lo sentiva il mare, il suo cuore, il suo respiro e inteneriva nelle ossa rinfichite del torace sotto la giacchetta di grisaglia.

– ... Sí che respira il mare! e pure il cuore gli batte... Sssssss!... bestie!... Sssss...! ... ssssssssss ... bestiacce! – diceva e con l'indice non piú grosso d'un chiodo, dritto in direzione delle grandi fosse nasali, quasi imbalsamato sulla piega delle labbra, faceva segno che stessero zitte, zitte una buona volta quelle bestiacce dal cervello crudo apporrito credute a torto cristiani.

– Cretino! È la vampata della ciminiera dell'Anicpetroli che spurga e brucia gli avanzi di polipropilene – sosteneva il Cataratta, forte del fatto che suo fratello per trentanni aveva lavorato alla raffineria e glielo aveva spiegato chiaro il discorso delle ciminiere che spurgavano sbuffando fiamme.

– Cretino ammuccalapúni (credulone)... la ciminiera è!... quale mare... quale?... quale cuore?... i cristiani ce l'hanno il cuore e le bestie... il mare non ce n'ha cuore... cretino! il cuore serve per campare ai cristiani e alle bestie... pum pum pum pum pum se il cuore fa pum pum uno è vivo se non lo fa è morto... solo chi muore ce l'ha il cuore hai capito Sasà? Forse che il mare muore? no! mai e poi mai... il mare non muore mai e allora è segno che il cuore non ce l'ha. Punto e basta...

Il ragionamento del Cataratta detto cosí non faceva una piega.

Eppure si sbagliava il Cataratta riguardo al cuore del mare, come se si sbagliava! – pensava Sasà mentre gli occhi, color melenzana, sprofondavano sempre piú sotto le palpebre gobbe, sottili come garza.

Per anni quelle bestiacce ci avevano riso sul cuore del mare e lui, convinto com'era di sentirlo forte schietto il battito del mare, si rabbuiava lasciando ombre minacciose sulla sua mascella già sinistra e masticando sottovoce improperi anatemi contro quell'animale del Cataratta, faceva a se stesso solenne giuramento d'eterna lite.

Il concetto d'Eternità, però, per quell'anima sensibile fina delicata qual era Sasà Azzarello era rimasto vago imprecisato. L'Eternità poteva essere per lui un minuto, o centanni.

Era la stessa identica cosa. Piú, lo incantava la magnificenza della parola Eeeteerrrniiiiitààà, la sua solennità che divorava nello spazio fonetico minimo di quattro consonanti e quattro vocali secoli plaghe siderali orbite planetarie.

Gli riusciva cosí di mantenere il giuramento tutt'al piú per due sere perché alla terza, come niente fosse, alle sei e tre quarti d'estate (impossibile andarci prima alla Villa, sui sedili tale era la calura del sole che vi si potevano arrostire ali di pollo e tacchinella), alle tre d'inverno, Sasà tornava a cercarle quelle bestiacce, in primis il Cataratta.

Sapeva a occhi chiusi in quale angolo della Villa, su quale sedile li avrebbe trovati.

Sempre lo stesso sedile, sempre lo stesso angolo di Villa, e puntualmente ve li trovava, ancora tarchiato il Bronzino, bene azzampato il Cataratta, sparuto rabbrividente con minime once di carne sulla magrezza delle ossa il Pinna, ma con due fosse azzurre grandi come noci per occhi, a stento trattenute dal miserabile serraglio degli ossetti sopraccigliari.

Muti il Bronzino il Cataratta e il Pinna, capaci di starsene muti per giorni.

L'uno accanto all'altro addietro a un proprio pensiero, o solo addietro a un baco da seta che schiumava fili d'oro sotto il grande ficus che dava ombra al sedile, o addietro a niente.

Quando arrivava Sasà invece l'incantesimo si rompeva, il sortilegio di cui il Pinna il Bronzino e il Cataratta sembravano prigionieri si dileguava.

Il Cataratta attaccava con la sua parlantina a parlare straparlare di tutto. Chiacchiere pettegolezzi, ma anche proverbi paragoni stornelli, e non se la finiva piú.

Il Pinna taceva. Sempre il Pinna taceva per un fatto costituzionale. Una naturale vocazione al silenzio. Di quando in quando, in segno d'assenso, rinculava quel poco di collo che gli era rimasto, non piú alto d'una fettuccia di percallo, dentro le scapoline tartufite, e amen!

Quanto a Sasà gli riusciva a mala pena d'inserirsi nello sproloquio del Cataratta.

Invidiosissimo, il Cataratta, del fatto che l'Azzarello fosse colto laureato e che a Bulàla lo chiamavano sia pure per sfottò *il filosofo*.

Sasà riusciva a infilarsi nella fiumana di parole del Cataratta solo spiandone il momento del singhiozzo, come lo chiamava lui.

Ogni dieci minuti circa, nella laringe del Cataratta si sentiva un groppo, una specie di singhiozzo. Forse un tic, forse uno spasimo della membrana del gargarozzo, forse un ricambio del fiato.

Fatto sta che, per qualche secondo, il Cataratta socchiudeva gli occhi come un uccellaccio sul ramo e taceva quel tanto che Sasà potesse infilarsi nel discorso, se ci stava attento però, perché era proprio questione di pochi secondi.

Se uno conosceva il Cataratta bene come lo conosceva da sempre Sasà non c'erano problemi, anche perché il fatidico momento dell'ingozzo del fiato veniva anticipato da segnali precisi.

Uno, inequivocabile, era che il suo collo di tacchinotto cominciava a palpitare ansimante sotto la pappagorgia sudata.

Sasà lo sapeva e, quando le vene del Cataratta erano lí lí per sgrillare dall'infame sciabordio del grasso, **zac!** s'infilava nel discorso.

Poi, con la sua favella forbita da filosofo e intellettuale, lo reggeva per almeno una buona mezz'ora.

Alla Villa Sasà da solo non ci poteva stare. Del resto, comunque, riguardo alla compagnia non c'era molto da scegliere.

Le cose erano due. Starsene da solo, senza fare bile per via di quella bestiaccia del Cataratta, oppure in compagnia del Pinna il Cataratta il Bronzino, e logicamente, la bile.

Sasà, a settantanni, coi ricordi di gioventú che gli trapassavano il cuore come nuvolette veloci, pur di non restare da solo, preferiva il Pinna il Cataratta il Bronzino e la bile, pure.

Quando però aveva voglia di sentirlo il cuore del mare (che non era affatto il pum pum pum sparato dalle labbra di mulo del Cataratta sforacchiate dal vaiolo, ma un che d'arcano divino) – ora che sempre piú di rado gli capitava di sentire il suo miserello affiochito – s'allontanava dal Pinna dal Bronzino e dal Cataratta e, con la scusa di raggiungere un canto fuori mano dove fare pipí riparato dal fogliame d'un olivastro o d'un salice, si portava all'estrema terrazza della Villa.

Sotto c'era il mare e lui, per sentirne il cuore, si sporgeva dalla balaustra col suo torace che aveva preso la forma d'uno ziretto di terracotta sui pantaloni disubbidienti alle ossa del bacino, rimpicciolite dalla vecchiaia.

Si sporgeva piú che poteva, roteando sul fianco sinistro, perché da quell'unico orecchio – dal destro era ormai sordo – potesse sentirlo schietto fragoroso il cuore del mare.

Sasà Azzarello da due anni ci sentiva solo dall'orecchio sinistro. Tutto era cominciato qualche anno prima, con un ronzio sordo insopportabile, come se una tribú di moschiglioni dalle alucce verdognole afforconate si fosse annidata nella gora di cerume in fondo alla vallata dell'orecchio.

Il suo medico, Gasparino – un veterinario compagno di liceo laureatosi a tempo di guerra col favore delle bombe e il fuggi fuggi dei professori, con due orecchie che parevano pinne di pescecane, ora anche rintronato per via del diabete – lo aveva rassicurato dopo attenta esplorazione dell'orecchio medio, interno, del labirinto membranoso, della membrana timpanica, della tromba d'Eustachio fino al dotto cocleare, aiutandosi con una torcia grande quanto un faro, di quelle che usava nelle stalle di notte quando partorivano le vacche, e non c'era la luna.

Non era un problema d'orecchio, ma di testa. Gasparino sembrava arciconvinto mentre lo diceva, a esplorazione ultimata, scuotendo le orecchie a staio.

Era che Sasà con quelle pazze letture di filosofi e poeti (sempre fissato lui coi poeti già dal liceo!) s'era preso un pizzico d'esaurimento nervoso.

Una puntina d'esaurimento, tanticchitta d'esaurimento, ecco la spiegazione dello zirlío che Sasà sentiva incessantemente nel suo orecchio.

Insomma il cervello di Sasà s'era infurmicoliato, infiammato come quando un'unghia incarnisce, fa il pus, e infetta la carne tutt'intorno sino a che la si tira via coi ferri, stanandola per benino.

Col cervello, però, non si potevano usare i ferri né si poteva stanarlo, ma il decotto di camomilla, sí. E pure il bicarbonato a digiuno e tanta borragine, la sera, per lassativo... *ché svuotando lo stomaco*, concludeva Gasparino, *si svuotano anche i pensieri*... E poi sonno tanto sonno a volontà, se ci riusciva.

Di decotti di camomilla e fiori di papavero s'era letteralmente avvelenato Sasà Azzarello, seguendo alla lettera per filo e per segno le prescrizioni di Gasparino.

Dormiva in piedi, stordito dai decotti, insino quand'era sveglio, con le due gambe stecchite che appaiate ne facevano sí e no una di giuste dimensioni, e la pupilla, del colore delle more quando marciscono al sole, accucciata sotto la palpebra caduta a metà.

La camomilla, lungi dal sedarglielo, pareva incoraggiarlo il ronzio dentro l'orecchio, dargli vigore sí che, scartato il partito dei decotti, Sasà s'era infine rassegnato all'esaurimento nervoso e alla debilità del suo cervello che dopo disumane torture aveva scelto il suo orecchio destro per dare l'ultimatum...

E che? non aveva forse mille volte ragione il suo cervello di stizzirsi infine, e farla qualche bizza? d'incarognirsi e spararagli quella zufolata di mosconi nell'orecchio che lo torturavano senza pietà notte e giorno?

Che forse vita era stata la sua? Inferno era stato, Tartaro. Quasi cinquantanni d'inferno con sua moglie Maddalenina, che solo da un anno lo aveva lasciato in pace, andandosene all'altro mondo dopo avergliel o sfinito il cervello.

Che vita era stata la sua? Una vita miserabile. Tre figli maschi ch'erano stati una croce per lui, sempre inferociti, occhiuditarantula, sempre dalla parte della madre, ringhiosi come mastini.

Mai una parola, mai un sorriso, mai una carezza. Lui, una volta capito ch'erano della stessa pasta della loro madre Maddalenina, li aveva lasciati perdere. Li scansava per quanto gli era possibile sia in casa che fuori.

Nulla che potesse ristorargli – ad eccezione del ricordo dell'Ada – il cervello intossicato sotto le ossa spaiate del cranio che con la perdita dei capelli, un tempo fitti e lucenti, sembravavo tegole di vecchi casolari, accavallate l'una all'altra. E nel punto della nuca spuntoni di roccia, arditi e pizzuti.

Che il suo cervello si fosse inferocito a furia di continue incursioni e aggressioni nel corso di quasi cinquantanni, Sasà lo capiva benissimo.

E che ci voleva un genio a capirlo?

Pure se, a suo modo, lui un genio era. Un genio veramente. Tale che il Cataratta, pure se ormai erano vecchi, se ne marciva il fegato d'invidia per la sua genialità l'intelligenza l'estro.

Quello, però, che Sasà non riusciva proprio a capire era che il suo cervello, con tutte le ragioni di questo mondo, se la fosse presa proprio con lui, col suo infelice incolpevole orecchio.

A un certo punto s'era proprio stancato di quel torpore che gli amminchioniva i nervi, gli rapinava quella vivacità di movimenti che a settantanni era proprio una grazia di Dio, e aveva mandato al diavolo decotti e tisane.

Poi che non c'era verso di guarire, se lo sarebbe tenuto quel zzzzuuuuuuuzzzz che lo 'nzalaníva, lo stordiva già alle sette di mattina quando metteva i piedi a terra e scalzo per prima cosa andava al cesso.

Dopo due anni, quando ormai s'era rassegnato a patirli i moschiglioni nelle segrete del suo orecchio, una mattina che s'era alzato con una punta d'acido, non li sentí piú.

Sulle prime non ci fece caso. Sua moglie Maddalenina era morta da poco e gli toccava armeggiare alla rinfusa tra barattoli di timo calendula pepe bianco origano e rosmarino alla ricerca del bicarbonato a quietargli la furia delle budella feroci come non mai.

Nella notte s'era cacciato un dito, poi due, infine tutta la mano in gola per vomitarlo quel fuoco che gli avvampava laringe e gargarozzo, quel veleno che lo intossicava peggio d'una medusa, ma inutilmente.

La sera prima aveva mangiato pecorino coi vermi, una cipolletta rossa, ed ecco spiegata quella vampariglia alla bocca dello stomaco.

L'acido se n'era rimasto acciambellato alla bocca dell'anima e lui, Sasà, stralunito, gli occhi nichinichi in fora sul precipizio delle poche ciglia inseccolite, ci aveva fatto tutta la notte nel cesso con la bocca aperta sulla tazza del gabinetto. Rischiando seriamente d'ingoiarsela la dentiera, come già gli era successo una volta.

Poi, dopo tre giorni, un litro di vaselina, una dozzina di prugne secche, l'aveva cacciata tra la fitta serpaia delle emorroidi, nel vaso da notte.

Forse per via dell'acido, o forse perché non aveva chiuso occhio tutta la notte sulla tazza del gabinetto, in principio Sasà non se ne accorse che il ronzio era sparito del tutto e che nell'orecchio c'era solo silenzio. Un silenzio di tomba.

Sasà se lo toccò l'orecchio, se mai ci fosse ancora quella cartilagine sottile come un'ostia, color melenzana, che ne raccoglieva il padiglione grande a ventaglino. Con la paura di trovarselo in mano poi che non se lo sentiva piú dopo due anni di vere torture.

Non sentiva niente. Solo silenzio. Un paradiso, un oceano di silenzio. L'orecchio c'era, al suo posto come sempre. Solo un po' piú spampanacchiato del solito per via dell'età.

C'era anche il lobo, tale sottile che pareva la sfoglia per il cartoccio di ricotta e cannella, quando i panettieri, alle cinque di mattina, se la scordavano in forno e bruciacchiava un po'.

La prima cosa che gli venne in mente fu che il suo cervello si fosse mosso a pietà per lui e che volesse graziarglieli quegli ultimi anni, quegli scampoli estremi di vita, risparmiandogli le torture dentro l'orecchio.

Non fece in tempo a rallegrarsene del miracolo che per il tremolizío delle mani gli cadde a terra il cucchiaio, seguendo la traiettoria del fianco destro.

Sasà si chinò a raccoglierlo reggendo con una mano i pantaloni del pigiama che aveva l'elastico vecchio sdilabbrato e mentre era piegato in due, con la faccia che quasi toccava la maiolichetta del pavimento, fece una scoperta straordinaria.

L'orecchio sinistro catturava ogni minimo rumore. Le scaglie del pavimento urtate dall'unico bottone del pigiama – gli altri erano saltati nel tempo, uno a uno – il trasalire del cucchiaio contro la tazza, l'onda mansa del latte appena sciacquariata dal transitare del suo pugno. Il cardellino rosso della vicina e tutto il resto.

L'orecchio destro, invece, restava in un silenzio transumano, come una mosca in una tela di ragno. Come se il suo corpo si fosse diviso in due.

Una parte del corpo, la sinistra, lo aveva seguito al cesso, nel cucinino a scaldare il latte sul fornello a gas.

L'altra, la destra, orecchio compreso, era per conto suo. Disgiunta, come fosse rimasta ancora a letto o chissà dove.

Sasà provò con il pentolino d'alluminio dentro cui aveva scaldato il latte, poi con la sedia, in ultimo con lo specchio del bagno.

Uno a uno li scaraventò a terra dal lato sinistro, poi dal destro. Tranne lo specchio che, alla prima e unica botta, si ruppe in mille pezzi.

Il pentolino s'ammaccò irrimediabilmente, con certi lividi tale gobbuti che non si poteva piú usare. Quanto alla sedia ci rimise la spalliera.

Il risultato comunque era che dal sinistro ci sentiva benissimo. Tonfi botti sgrigliolii sonagli pendagli pigolii. Sentiva tutto, alla perfezione.

Dal destro no. Non ci sentiva. Proprio niente sentiva. Ecco perché non c'era piú traccia di mosconi e di ronzii. Era diventato sordo, non c'era altra spiegazione.

Il suo cervello aveva avuto pietà di lui, poverocristo, e gli aveva donato una celeste sordità.

Gli si dimezzavano i rumori del mondo, il chiasso delle strade, i rantoli del catarro di petto del Cataratta, il gemito delle tortore della vicina di muro.

Persino l'acqua del cesso che perdeva notte e giorno con lo scolo finofino glic glic glic perché la guarnizione s'era spanata e lui non ci pensava proprio a farla aggiustare. Operai per casa – elettricisti idraulici ferraioli – non ne voleva. Trapani pinze bulloni gli mettevano addosso l'orticaria.

Cosí da quando era morta Maddalenina, la casa era diventata un barcone in disarmo di quelli che marcivano, le assi schidionate al sole, sulla battigia nei dintorni del porto.

Ora che era diventato sordo da un orecchio, tutto questo fastidio del mondo Sasà poteva anche scansarlo.

Sarebbe bastato un piccolo movimento della testa, una minima roteazione del collo e in meno d'un attimo, dall'orecchio sinistro al destro – sinistrrr destrrrr sinistrrrr destrrrr – avrebbe potuto fregarli tutti. Intelligenti e cretini, intellettuali e bestiacce, uomini e animali.

Poteva fregare il Cataratta, con la sua aria di politico tacchinotto, le campane del Carmine, e pure don Cirino che predicava ubriaco, la domenica alla messa delle undici, con aria da sapientone mentre il lezzo del vino si sentiva dalla ventesima fila di sedie.

Il mondo intero poteva fregare, se solo lo voleva, per quell'orecchio sordo. Benedetto e sordo.

Sasà stette un'ora buona a girare la testa *sinistrrr destrrr sinistrrr destrrr sinistr* prima d'esserne assolutamente certo della sua benedetta sordità.

Non voleva farsi altre illusioni poi che d'illusioni in gioventú c'era quasi morto. Provvedeva da sé ai comandi – *destrrrr sinistrr... destrrrrr sinistrrrr* – e ad alta voce.

Prima, comandi militari cadenzati attempati solenni. Come aveva visto in qualche vecchia pellicola all'Arena Bellini.

Poi man mano che aveva conferme della sua sordità, roteava la testa, di per sé malavvitata sul collo sino dalla nascita, cosí velocemente che da un momento all'altro pareva potesse schizzare via sul terrazzino per lo spiraglio della portafinestra.

Anche la tartaruga Giuda sulla soglia di brutto marmo rattoppata con la colla – soglia che immetteva dalla cucina nel terrazzino – lo guardava fisso immobile.

Sasà, forse preoccupato che la testa gli schizzasse via dallo scarso ancoraggio del collo, forse inferocito dal fatto che la bestia lo fissasse (ora che piú non c'era sua moglie a fissarlo con quegli occhiacci divoratori affauciàti trapananti, pure lei ci si metteva?), o forse solo stupito di non sentirci piú, solo meravigliato di quella sordità che precipitava su di lui tuttuncolpo, come la cacca degli assioli dalle sequoie nella Villa Comunale, di botto accostò con tale violenza l'anta schiusa del finestrone che per un pelo la tartaruga Giuda non ci rimase schiacciata in due. Il corpo dentro la cucina la testa tranciata di netto sul terrazzino.

Provò e riprovò Sasà Azzarello *destrrrr sinistrrrr sinistrrrr destrrrr* fino allo spasimo dei muscoli facciali e dorsali mentre che Giuda, capito il maloverso, s'era intanata tra il sacco delle patate e il lavandino di maiolica.

La verità però era una e inconfutabile. Lui, Sasà Azzarello, era diventato sordo.

Sulle prime – lo spazio d'un secondo – pensò che il cervello lungi dall'avere pietà (che almeno il suo cervello poteva avercela un po' di compassione, invece niente tutti feroci con lui erano stati, persino il suo cervello!) gli si accaniva e lo faceva sordo.

Per un secondo, la testa triangolare immota coi pochi capelli a sentinella sulle tempie, Sasà non poté fare a meno di commiserarsi con singhiozzi di petto tale prolungati come i tacchini quando gli si ingroppa il gozzo di mangime.

Quando il livello del latte, per la fiumana delle lagrime, ebbe raggiunto il bordo della tazza, minacciando di tracimare sulla tovaglia di plastica a fiori rossi, con un ultimo spurgo di naso, diede fine alla commiserazione – il suo pezzo forte – e principiò, un attimo dopo, a benedirla la sua sordità, i suoi straordinari vantaggi.

Sasà Azzarello alla scena dell'autocommiserazione c'era abituato. Era per cosí dire il suo cavallo di battaglia, il suo capolavoro.

Gli piaceva – poi che nessuno mostrava di compenetrarsene delle sue sventure del suo avvilimento – una commiserazione teatrale letteraria retorica di sé delle sue disgrazie delle nequizie di cui era stato vittima, ostia sacrificale.

Anzi sentiva d'avere un talento naturale in questo genere di declamazioni.

La voce bene impostata da attore con toni brumosi gutturali un po' indeboliti dal catarro dei bronchi, anche quella volta, di fronte alla sordità, se l'era dedicata una bella *consolatio*. Squisita d'ottima impalcatura letteraria.

Sasà era proprio un retore consumato nell'arte della declamazione oratoria. Il gesto della mano ora supplice ora accusatorio ora implorante ora vindice, gli occhi pensosi meditabondi volti all'orizzonte addietro una fuga di nuvolette basse, la voce a saliscendi, un'intonazione da tenore erano stati negli anni tale portati a perfezione che qualche volta, per non perderci la mano, si esercitava a vuoto. Inventandosela di sana pianta una grande smisurata disgrazia, una tragedia immane, su cui il suo naturale straordinario talento potesse edificare una degna *consolatio*.

Quella d'inventarsi una disgrazia e declamarne letterariamente, secondo la migliore tradizione neosofistica, in realtà avveniva di rado perché la vita era stata generosa con Sasà quanto a patimenti accoramenti persecuzioni sventure.

Gli aveva fornito tali e tanti smottamenti subbugli annirbamenti rimpianti che non c'era proprio motivo d'andarselo a inventare di sana pianta un pretesto per una bella *consolatio* alla maniera latina.

Pressappoco il contenuto, in tutte le circostanze d'autocommiserazione, era medesimo.

Medesimo il piglio, il cipiglio, il corrusco lampeggiare delle pupille niurolutto come cert'uccellacci che di notte s'adattavano tra le croci del camposanto.

Medesimo il rotulamento dell'avambraccio, dell'anca; medesimi l'impennata e il precipizio della voce, medesimo il nodo alla foce della laringe.

Qualche problema, in gioventú, Sasà Azzarello l'aveva avuto con le lacrime, che dovevano essere tante e al momento giusto. Per lo piú invece gli usciva dal ciglione della palpebra qualche lagrimuccia stitica vizza stremenzita avara che stramazzando per l'osso inverdito della mascella si seccava prima d'arrivare al mento.

Sasà a quella deficienza di natura rimediava in due modi. Le cipolle rosse – s'era tempo di cipolle della Piana – oppure la segatura bagnata dal piscio delle tartarughe che gli arrossava d'orticaria tutto il corpo, sebbene scarsa e timida dimorasse la carne nel suo corpo.

La segatura che Sasà prendeva dal Cataratta – il Cataratta aveva bottega di falegname – gli scatenava una congiuntivite che neanche al tempo delle fave, con cascata di lacrime a tinchitè.

Da quando era vecchio però Sasà non ce l'aveva piú la costernazione del pianto, di quei suoi occhi secchi arsicci che mai si lucentavano di lacrime. Di quei suoi occhi sorcigni avaracci.

Da quando era vecchio (benedetta vecchiaia!) bastava un niente per stringergli la gola e ingozzargli gli occhi di lagrimoni a precipizio.

In vecchiaia era diventato chiangiulíno. Si commuoveva per tutto, tirava un po' il naso, e le palpebre sempre bagnatizze. Ma qualche volta era solo rinite.

Un nonnulla (la foto di sua nonna il giorno del matrimonio con tanti pizzi che svettavano dal sottanone color latte. Un petalo secco di rosa assalito dai vermi dentro un libro di liceo...) dava il via libera a un pianto inarrestabile, un'inondazione di lagrime. Un gorgheggio di singhiozzi senza ritegno, anche se era alla Villa in presenza del Cataratta del Pinna e del Bronzino che poi lo sfottevano. Il Cataratta a parole senza pietà. Il Pinna, col silenzio. Muto, le labbra consegnate a spagnoletta.

– Sasà che fai? femminella sei diventato? Dov'è il cagnaccio furioso, il mastino che la sapeva lunga, il Gerbero? (il Cataratta che a scuola c'era andato solo fino alla seconda elementare diceva proprio Gerbero)... Dov'è l'ammazzacristiani che sboffava sproloquiava minacciando strage d'uomini come fossero beccaccini quaglie conigli cappellacce?...

E poi che Sasà se ne stava muto, assorto sul sedile della Villa, specie quando il tramonto gli sparava dritto alla pupilla, continuava a gran voce battendo forte con lo scoppio il palmo delle sue mani grandi:

– **bbbbumma bbumma bbbummmaaaa... bbumma bbumma** ti sei scimunito Sasà? t'è calata la babbería?

La babbería era a Bulàla un ingrediente naturale della vecchiaia. Una delle sue tante spie. Come ruttare i denti dalla radica inseccolita infradicita. O anche ingobbirsi o sputare i capelli dalla radice se il grasso non la nutriva piú.

Un accidenti che andava a braccetto con la vecchiaia e la vecchiaia – non era un mistero per nessuno – proprio come la varicella da piccoli prima o dopo la facevano tutti.

Un accidenti, suppergiú come la tigna che guastava la faccia e le dava un profilo da ragno smarrito sul muro. Oppure l'insonnia, o lo scolo leggio leggio di piscio che ristagnava nel tessuto pesante dei pantaloni e ne divorava nel tempo la trama.

La babbería di speciale aveva che, chi non ce l'aveva ancora, la notava negli altri piú d'una verruca sulla guancia o un labbro leporino. La scovava anche da minimi avvistamenti, e la stanava con la furia crudele del mastino che insegue l'uccelletto implume fuggito dalla gabbia.

La babbería d'un amico scatenava in chi ne era immune una ferocia straordinaria travestita però dai panni bonari dello scherzo dello sfottò.

Nessuna pietà nessun compatimento. Solo tanta voglia di vendicarsene in anticipo della babbería quando ancora non le si apparteneva. Quando ancora la logica dei ragionamenti, il controllo assoluto del proprio corpo della vescica del mento delle gambe davano assieme alla certezza d'esserne immuni il diritto d'accanircisi contro.

La babbería era per lo piú la conseguenza d'una piccola botta al cervello. Un piccolo corto circuito nell'aggroviglio delle vene e venicciuole dentro la scatola cranica.

Qualche goccia di sangue in piú o in meno e **crachhhh** il danno era fatto. Pure se all'esterno non c'erano segni, non c'era sintomo, non c'era niente di niente.

Si respirava come prima, si masticava il pane duro, si passava ai piedi la lozione per i calli e alle mani l'unguento di budella di capre fatto in casa per i geloni.

Insomma la vita in apparenza restava tale e quale quella di prima, anche perché la babbería arrivava in un secondo tempo. Poco a poco come la pioggerella finafina che non tocca terra, ma per il raccolto è un vero castigo di Dio.

Arrivava quatta quatta, silenziosa, senza sonagli. Poi in un niente cresceva come i pulcini dentro l'uovo, con tale evidenza di manifestazioni – la risatella il pianto per niente la goccetta di siero di naso a precipizio sul mento – che la si riconosceva subito, con la facilità e la naturalezza con cui si riconoscevano le eruzioni del fuoco di sant'Antonio, o l'artrite deformante che rinfichiva attortigliava scontorceva le falangi delle dita.

La si capiva da un giorno all'altro, poco a poco, da piccole spie. Comunque ci volevano tempo e prove per esserne certi.

Il pianto era un segno inconfutabile di babbería, almeno cosí sosteneva il Cataratta quando voleva fargli il sangue amaro a Sasà Azzarello che in gioventú – con la sua laurea le sue dottrine filosofiche le sue arrangiate etiche nicomachee i comizi in piazza le stramberie le panzane le profezie con quegli occhiacci del malaugurio – si sentiva un filosofo un Socrate un guru un Prometeo un intellettuale marxista; o per dirla alla maniera del Cataratta, ebanista-restauratore, Sasà Azzarello si sentiva *un cazzo e mezzo*.

L'allusione del Cataratta riguardo alla babbería di Sasà era pura malignità.

Anzi invidia, nuda e cruda. Solo che Sasà non se li toccava piú i coglioni a proteggersi dall'invidia del Cataratta come faceva da picciotto, seguendo per filo e per segno gli insegnamenti di suo padre, il Direttore didattico Cornelio Azzarello. Da sempre fin da quando non aveva che pochi anni, uno scheletro magrino, due guancette verdognole sulfuree da fare spavento, e un profilo da uccello da rapina.

Sí! il pianto per esserci c'era. Sasà per un nonnulla si commuoveva, ma non lo si poteva affatto considerare sintomo di babbería.

Troppo poco. E tutti gli altri? ripetere le stesse cose, guardare l'orologio ogni cinque minuti, tenere le palpebre a metà immobili (pure se il sole ci sguazzava c'intanava feroce píulo nella pupilla), patire i mosconi a passeggio sulla fronte sulle pinne del naso senz'animo di volerli cacciare...

Insomma era chiarissimo che Sasà – il suo vero nome era Sauro – non ce l'aveva la babbería.

Pure se il Cataratta ci provava ogni sera alla Villa Comunale a fargli marcire il sangue, a farglielo scoppiare il saccoccio della bile dentr'al fegato, mettendo in dubbio la piena lucidità della sua mente, il controllo totale dei suoi pensieri, quel dedalo d'idee tracciato a meraviglia d'arte qual era il suo intelletto.

Lazzarone quel Cataratta sciamannato, che puzzava di segatura solo a vederlo di lontano anche se la bottega non ce l'aveva piú.

Calunniatore purpo vuccazzaro ciarlatano! Chiedere a lui, Sasà – ch'era stato un genio riconosciuto – se aveva la babbería!

Facciadiminghia o facciadibottana ci voleva. E il Cataratta ce le aveva entrambe. La facciadiminghia e quella di bottana.

A Bulàla tutti lo sapevano che mente fina era Sasà Azzarello. Che ingegno che artista che poeta!

Lui, poi, andava fiero della sua testa del suo cervello di quella *disgraziata sciagurata genialità*, come si compiaceva teatralmente di chiamarla.

Fatto sta che *geniale* e *genialità* nei discorsi negli sproloqui nelle sconsolate Consolazioni di Sasà Azzarello riguardo a se medesimo non mancavano mai.

Sasà, pure se aveva già settantanni sul groppino stecchito, ne parlava ancora della sua *disgraziata* genialità, *infausta* genialità, *incompresa negletta sciagurata* genialità.

Il termine conclusivo era sempre **genialità**.

Termine che, paradossalmente, in quella specie d'ossimoro che ne usciva fuori con l'aggettivo appresso, lungi dal restarne minimizzato ne veniva esaltato magnificato ingigantito.

Il Cataratta il Pinna e il Bronzino il fatto che Sasà alla Villa, gira e rigira, parlasse sempre di sé, si ponesse sempre al centro dell'universo coi suoi latinoidi che sparavano come bombe *ubi consistam? cupio dissolvi... sidera cervice feram...* proprio non lo sopportavano.

Basta! pure se ci avevano fatto il callo con le fisime di Sasà che in gioventú... – diceva il Pinna, le uniche volte che fiatava con la sua boccuccia a spagnoletta e là si fermava come a sottintendere il finimondo.

Basta! ora è tempo di finirsela! sennò a che serve la vecchiaia? – faceva eco il Bronzino, un vecchio comunista con la babbería conclamata.

Basta! ne avevano fino al collo. Ora ch'era vecchio – gli diceva in faccia il Cataratta con occhiacci tondi schizzanti biliosi – doveva finirsela Sasà d'esaltarsi di magnificarsi usando qualunque mezzo, insino e soprattutto le sue disgrazie.

Il Cataratta metteva in chiaro che lui non era scemo. Né il Pinna né il Bronzino seppure l'ascoltavano per decenza per pigrizia o per ignavia.

Se la doveva finire Sasà con le sue arie da superuomo, con le balle riguardo al suo grande amore, quand'era studente di filosofia a Padova.

Quando il Cataratta diceva *amore* pensava in verità a *cazzo*, termine piú appropriato e convincente – questa l'opinione del Cataratta – di quanto non fosse quell'*Amore* di cui si riempiva la bocca l'Azzarello e che al Cataratta sapeva tanto di sternicchi, di nervetti femminini, d'emicranie, di svenimenti, di cervellini inciuciuniàti, di pellicole in cinemascope all'Arena Bellini, di minghiemolli, e arrivato a *minghiemolli* poneva fine a proclami anatemi invettive ingiunzioni minacce e ultimatum riguardo a Sasà Azzarello.

Se Sasà non voleva passeggiare da solo alla Villa, restarsene allocchito solo come l'albero di Giuda a nord-ovest, sotto cui non sostava nessuno mai, nemmeno per un attimo, visto ch'era in un cantuccio fuori mano dentro la Villa (tutti lo sapevano che portava male l'albero di Giuda, o almeno questa era la diceria a Bulàla) – ebbene se non voleva trovarsi come un trunzo scordato nell'orto, doveva proprio finirsela di mettersi sempre in mezzo... Finirsela una buona volta con le sue fisime da ventenne scimunito.

Un po' erano i tre figli maschi – tre bestie con la pellaccia color tabacco, che lo odiavano a morte.

Un po' era la moglie – anche se ora, da piú d'un anno, Maddalenina era in pace al camposanto – per via che gli aveva lasciato la fibrillazione al cuore, che glielo aveva divorato il cuore a muzzicúna, e anche il fegato con quel suo fare da capitana.

Un po' i suoi fallimenti di poeta, vicepreside, padre, filosofo. Un po' le sue tristizie da commediante, insomma gira e rigira si finiva sempre col parlare di lui che sotto sotto gongolava delle sue sciagure, delle onorevolissime disfatte sul campo.

Da cosa si capiva? Si capiva dal fatto che quegli occhietti a saracinesca che a mala pena pigliavano la luce del giorno, d'improvviso s'animavano e le pupille s'allertavano mariuole.

Il Cataratta sosteneva sorretto da unanime consenso che Sasà Azzarello, ora che infine era vecchio, era proprio in tutto e per tutto uguale agli altri. A lui al Bronzino al Pinna.

Si trattava solo di farglielo entrare il concetto in quella testa di mulo sordo, in quelle strammerie di cretino, a costo di spaccargliela in due la testa. Un colpo netto, come si fa con le angurie che si aprono in due.

Tutti alla Villa, il Pinna l'Ammazzapreti il Bronzino l'Azzarello e lui medesimo – proclamava il Cataratta – avevano una punta d'ernia, l'alito che puzzava di mucido, le radiche dei denti ingrommate, la pensione il ventidue d'ogni mese, un pizzico di diabete, e qualche varice per il ristagno del sangue che appaludava nella coscia.

Quindi erano uguali in tutto e per tutto, anche negli acciacchi, nei fastidi dell'età. Anche riguardo all'insonnia, anche riguardo al fatto ch'erano vedovi.

Uno però, il Pinna, non s'era mai sposato. E un altro, il Bronzino, aveva già la babbería.

Quanto al resto però uguali in tutto e per tutto. Pronti tutti a riconoscerla l'uguaglianza tranne Sasà che, pure da vecchio, aveva le fisime del figlio unico viziato qual era.

E sul discorso dell'uguaglianza non ci sentiva proprio. Sordo da tutt'e due gli orecchi. Il destro e il sinistro.

Questo fatto minacciava la pressione del Cataratta peggio del suo acido urico. Diventava una bestia il Cataratta, anche se Sasà era convinto che bestia il Cataratta lo fosse per virtú di natura.

Il collo gli si gonfiava tale paonazzo che faceva impressione di sanguinaccio e gli occhi itterici, rasoiati dalla congiuntivite, sembravano lí lí per stramazzare.

Però non c'era stato niente da fare. La parola *uguaglianza*, se riguardava quel bestione del Cataratta, aveva su Sasà l'effetto d'una apoplessia. D'una paresi totale di corpo e di cervello. Una catalessi.

La lingua gli si intisichiva, e gli occhi invetravano come quelli dei pesci quando aggallano morti con la pancia gonfia d'onda.

Sasà era assolutamente certo che, quantunque il Cataratta ci malignasse, lui piangeva (solo negli ultimi tempi di frequente) per un fatto di sensibilità, d'anima fina. Nient'affatto per babbería.

Le sue lacrime erano per cosí dire nobili affluenti del suo cuore, e l'occhio non era che il miserabile estuario.

Erano la luce riflettente del suo animo tempestoso inquieto baudelairiano come addice ai pensatori. Nobile e magno a un tempo. Le lacrime erano l'offerta del suo animo agli spiriti eletti che sapessero intenderle e apprezzarle mentre quel raccattatrucioli del Cataratta spirito eletto non era stato mai. Un caprone era stato, un caprone che però sapeva aggiustare tutto. Lo scarico del cesso come lo stucco a precipizio dal lampadario, i fili della corrente, le porte che prendevano di muffa e non volevano saperne di richiudersi. La fermatura, di conseguenza, risultava un inutile orpello tale che nel ritiro dei bisogni, per avere quel tanto d'intimità, Sasà regolarmente puntellava la porta del cesso con una sedia di traverso incagliata sullo stipite.

Uno spiraglio, però, restava sempre giusto perché Giuda la tartaruga ci si infilasse, fissandolo coi suoi occhi immobili che parevano di vetro, tali e quali gli occhi di Maddalenina quand'era viva, mentre lui se ne stava sulla tazza del cesso, in religiosa attesa, con le brache calate e il pelo dell'inguine ammansito dal piscio.

La Villa Regina Margherita era stata chiusa per tre anni con la scusa **LAVORI IN CORSO** come si leggeva sul cartellone davanti al cancello arrugginito. Inverosimilmente arrugginito e chiuso.

C'erano voluti tre anni per una gettata di cemento in terra, una rozza sistemazione delle aiuole. Tre anni per una passata di vernice alla cancellata d'ingresso direttamente sopra la ruggine che già sforacchiava la vernice bianca con sboffi bucherati, da vaiuolo, grandi un'unghia e quattro piastrelle di terza scelta alla latrina turca, dietro il chiosco, all'angolo, in direzione dell'albero di Giuda.

La chiusura della Villa era stata per Sasà Azzarello una vera calamità, una delle sue piú declamate disgrazie perché la Villa era il Tempio dei suoi pensamenti, la sua Stoa, il suo Ginnasio, il santuario delle sue idee.

Non se n'era dato pace per tre anni. Ne aveva parlato straparlato inveito deplorato, ogni sera, nelle sue chilometriche passeggiate, con ogni tempo. Sole grandine diluvio afa bufera tregenda.

La testa sempre alla Villa. Fuori non gli riusciva di concentrarsi. Solo pensieri miserelli stentati intisichiti itterici. Non un pensiero forte degno della sua mente. I suoi pensieri glieli concimava la Villa. Per questo anche da ragazzo v'andava tra i vecchi, sbalordendoli con le sue stranezze oratorie le sue demenze eloquenziali.

Per questo già da allora la preferiva alla piazza Vittorio Emanuele, dove se ne stava la gioventú.

Privi di quel miracoloso concime ch'era la Villa i suoi

pensieri avevano perso tempra vigore nobiltà robustezza fierezza arditezza. Tutto avevano perso, non erano che pensieri stitici debolucci anemici.

Sasà ne era arciconvinto del potere della Villa sul suo intelletto.

Per questo non s'era dato pace mai della chiusura della Villa, nel suo girovagare dalla pretura al cimitero, dal cimitero alla pretura – sopra il muraglio del Bastione – sempre con lo stesso ritornello, sempre con medesimi interrogativi: perché non si sbrigavano?... in Consiglio comunale sedevano degli inetti, delle minchie morte. Gli operai si nannuliavano... l'impresa rubava... il capocantiere si portava a casa il cemento e le piastrelle buone per la sua villetta al mare... lo spreco era incredibile una vergogna... *pugno di culattieri parassiti leccaculo scuncicacazzi* avevano ridotto la Villa a un cantiere e gatti topi randagi faluche ci facevano il loro quartier generale con una pacifica spartizione del territorio... che bastardo! il progettista... che culorotto il direttore dei lavori... e via dicendo di questo passo a mezzavoce, su e giú per il paese, Sasà Azzarello aveva passato tre anni senza la sua Villa.

Il risultato era disastroso. I suoi pensieri erano ridotti allo stremo, leucemici ormai e il Cataratta era lí lí per prendere il sopravvento anche riguardo alla sciagurata ipotesi dell'*uguaglianza*.

Questo stato di debilità di fiacchezza può far capire quanto spaventosa fosse la prostrazione di Sasà Azzarello senza la sua Villa Regina Margherita.

Mezzo cuore gli avevano strappato quei furfanti assessori e consiglieri chiudendo la Villa. Quanto al fegato non se lo sentiva piú già da tempo, segno che doveva essersi sciolto accanto al sacchetto della bile.

In siffatte quotidiane lamentazioni riguardo alla Villa Comunale Sasà Azzarello era ampiamente sostenuto dai suoi abituali amici, il Bronzino il Pinna l'Ammazzapreti e insino il Cataratta...

Ne condividevano appieno lo sdegno le filippiche serotine l'accalorarsi del gesto l'impennata della voce e poi che – innegabile! – il suo italiano era fino di grammatica, bene acculato di sintassi, sulla questione della Villa gli riconoscevano il ruolo di portavoce del gruppo.

Insino il Cataratta, in merito all'oscena faccenda della Villa e agli intrallazzi per la sua sistemazione, non poco lo spalleggiava.

La Villa era il cuore del paese, dopo la Piazza. La filosofia di Sasà Azzarello spiegava, non senza l'ausilio di paradossi e assiomi, che alla Piazza si riservavano i vaneggiamenti i bollori le bottedisangue della gioventú. Alla Villa le meditazioni le riflessioni i pensamenti della vecchiaia.

Come dire che la vecchiaia era meglio, meglio assai della gioventú. Il vino maschio a fronte della debilità baubaujna del vinello spocchiosetto in prima spremitura.

In genere, dopo i cinquantanni, era fatidico quasi fisiologico il passaggio dalla Piazza, di fronte alla Matrice, alla Villa Comunale dopo i Quattro canti.

Dapprima erano piccole sortite, quando sí quando no, come per caso, di passaggio, a corri e fuggi. Minime soste vicino al cancello con la scusa di posarci la borsa della spesa e fare riposare il braccio, o di vedere quella tal pianta o quell'altra.

Piccole sortite sempre in principio della Villa. Piú di qua, dalla parte della strada, che di là, dalla parte della Villa vera e propria.

Timidi passi da soldatino di leva mandato in avanscoperta nel territorio del nemico. Passetti da lumaca, rincalcando i calcagni come puntelli. Passetti asmatici guardinghi presi con comodo.

Tanta circospezione si legittimava col fatto che quando si veniva adocchiati dal branco dei frequentatori abituali della Villa non c'era piú scampo. Finita! finita per sempre!

Era questione d'un attimo. Una zanzara nella pancia d'un ragnaccio.

Il branco a un tempo adocchiava e catturava. Un sorriso una pacca sulle spalle una stretta di mano una tiratina di gomito e ci si finiva dentro peggio della selvaggina nel fosso quando i cani le stanno alle costole.

Ci si ritrovava in mezzo alla Villa in uno stato di trance, storditi dal cicalare allegro del branco, ramminchioniti dai saluti di benvenuto, dai convenevoli.

Era come se dalla Piazza alla Villa si cambiasse continente latitudine e longitudine. Succedeva come quando ritornava dall'Australia o dall'America uno di Bulàla e tutti addosso da vere sanguisughe al caffè.

A chiedergli conto di questo e di quello – le femmine australiane i dollari i bordelli – a rapinargli fiato e cervello, a lasciargliela secca la lingua e i polmoni.

Accedere alla Villa nella condizione di fruitori abituali, di inquilini fissi era segno inequivocabile d'una resa incondizionata alla vecchiaia ai suoi acciacchi alle sue miserie ai suoi cedimenti.

Un aspetto positivo nel battesimo d'ingresso ufficiale alla Villa c'era però. Una sorta di liberazione, di catarsi rispetto alla paura che destava la vecchiaia.

La Villa diventava uno strumento di forza di resistenza di sicurezza proprio perché per lo piú s'affrontavano discorsi – la malattia l'invalidità la morte – che alla Piazza venivano rigorosamente banditi.

Alla Piazza si discorreva d'affari politica femmine sindacato salario manodopera... Nessun accenno ad artrite varici prostata prolasso coliche.

Il passo era lesto spacchioso, le tibie forti, i muscoli del petto generosi sul costato ingrugnato, le teste spavalde turrite di riccioli cespugliati anniuricati da malandrinetti di paese.

La parlata era spiccia chiara maschia, i toni rombanti ingurriosi. I periodi brevi ma incisivi, con due intercalari ossessivamente ricorrenti: *minchia* e *culo*.

Intercalari che, per la meccanicità con cui venivano pronunciati, erano in un certo senso analogici all'*ora pro nobis* del Rosario in chiesa alle cinque del pomeriggio.

Erano un marchio a garanzia d'una totale lucidità di mente, d'un vigore da toro, se mai qualcuno ne avesse dubitato, e in quel caso il dubbio lo si leggeva nettonetto nella sua pupilla selvaggiola.

Minchia solo *minchia* ristabiliva pesi e misure. A un tempo metro e bilancia d'intelligenza di mascolinità di talenti e virtú.

Non era un fatto di parola, né di sillabe o vocali. Il carisma della parola *minchia* era legato a un fatto di pronunciamento dilatativo. Soprattutto della labiale *m* che aveva una partenza per cosí dire in scalata pressappoco *mmmmmmmm* con un'intonazione bovina.

Il carisma della parola era legato a un concerto d'armonie e d'equilibri tra lingua palato frenulo pendulo gengive mascelle e ghiandole salivari, che avevano un'importanza determinante per la tenuta della voce.

– Un conto è la lingua bene ammollata, sazia sazia. Un altro la lingua secca secca intartarita ingrommata – spiegava il Cataratta ch'era maestro al riguardo e non temeva concorrenza.

Nella Villa altro era il tono, altri i discorsi. Ogni allusione al *culo*, per esempio, era riservata alla patologia piú comune e dolorosa dello stesso: le emorroidi.

Venacce bummuliate, spesse un mignolo quanto le costine di castrato, che sbottavano a sangue con dolori amarissimi.

Oppure se si nominava il *culo* era esclusivamente in riferimento alle pappette d'erbe, al passato di patata, che potevano fare miracoli e addirittura sanarlo, col tempo.

Alla Villa tutti diventavano pazienti, anche quelli che alla Piazza erano stati vuciazzeri eretici indemoniati.

La pazienza alla Villa era un fatto naturale e anche il tono sottovoce della conversazione, le lunghe pause sul sedile di ferro arrugginito, decise solo con l'intesa degli occhi. Una pinzatina delle palpebre, una codina di lucertola sul ciglione dei peluzzi leggieri che cedevano mansi mansi a una folatella di tramontana a uno starnuto e s'accucciavano tra le foglie secche, o tra quei bioccoli di peluria e frasche che i nidi perdono quando invecchiano.

Unico esemplare in tutta Bulàla sfuggito a questa chiarissima spartizione, di qua o di là (piú o meno come si faceva con i pulcini: di qua, nella cofina di vimini, quelli grossi perfetti da vendersi al mercato, di là quelli presi dalla rogna difettati da tirarci il collo per il brodo), era Sasà Azzarello.

Andava alla Villa da sempre. Da quando aveva quindici sedici anni, pure al tempo in cui faceva il comizio in Piazza per gli anarchici umanitari e poi l'anno dopo per i monarchici. E quello dopo ancora per i comunisti e infine per i repubblicani.

A quanti – tra questi il Cataratta – gli rinfacciavano gli spaventosi voltafaccia della sua ambigua reprensibilissima condotta politica, a quanti gli dicevano ch'era senza spina dorsale e non si davano pace della sua sfrontatezza, della totale deficienza di carattere, di fedeltà a un impegno, uno che fosse uno: **Minchia!** *come si fa a essere un anno monarchico e un altro comunista ultrà? buffone Sasà! ... marionetta... teatrante nato...*

A tutti questi – erano un piccolo esercito – Sasà rispondeva schizzando gli ossi sopraccigliari, a che gli occhietti da bruco si vedessero infiammati dal suo nume ispiratore, il suo genio tutelare: la **Filosofia!** che giungeva a soccorrerlo sempre, a legittimare qualunque buffonata conseguente alla sua radicale assoluta mancanza di carattere di coraggio di impegno.

– Cambiare è segno di crescita... solo la pietra non cambia, lei sventurata che non ha la grazia d'avercela un'anima... anche l'anima muta cresce intristisce... esulta... si strazia... inaridisce... imbarbara ingrotta... e l'uomo assieme a lei... non è al suo servizio forse quella carcassa chiamata uomo?... l'anima detta il cangiamento, l'uomo servitore fedele ubbidisce...

A questo punto anche da giovinotto interveniva il Cataratta, ch'era coetaneo di Sasà, col suo fidatissimo cavallo di battaglia:

– Minghiate minghiate minghiiiateee... quante ne spari Sasà!

E lo diceva con tale entusiasmo che specie di notte la voce nella Piazza ai tavolini del caffè Bellavista era piú forte delle campane di mezzogiorno.

– La verità è che – proseguiva Sasà – voi buoi azzampati coi cervelli pietrificati... non ci capite niente dell'anima... l'anima non è cosa per voi... per voi è la zappa la tenaglia il broccolo la giumenta... lasciamo perdere lasciamo perdere...

Sul fatto che quelli del caffè non ci capivano un tubo Sasà Azzarello comunque aveva proprio ragione. Anche se un poco se ne preoccupava del fatto che il partito a lui ostile cosiddetto *Partito delle minghiate* cresceva a dismisura di anno in anno, di mese in mese, se non addirittura di ora in ora.

La Villa aveva avuto un effetto straordinario da sempre su Sasà, già da quando era giovinotto. Lo confortava lo rassicurava solo con l'esibizione dell'altrui disfatta, fisica e mentale. Col prolasso di corpo e testa.

La miseria della vecchiaia – ch'era il vero trionfo della

Villa – rafforzava i talenti di Sasà, le cianchellanti sicurezze, le infratite spavalderie, gli ideali che cangiavano lesti piú che gli alberi in novembre. Dalla fronda del giorno prima alla calvizie sconsolata del giorno dopo.

Poiché Sasà frequentava la Villa già dai tempi del liceo, per lui non s'era potuto dire come per tutti gli altri che a un certo punto della vita giocoforza s'arrendevano definitivamente alla Villa *niente niente ormai va alla Villa*, come dire *è finito è rimbecillito il cervello? Pancotto con l'olio gli è diventato* e cose simili per dire che uno era scimunito, che valeva ormai quanto la cacca della gallina vecchia.

Sasà era vissuto con tale confusione di luoghi affetti passioni orari ruoli vicende almanacchi destinazioni direzioni che da quando per via dell'età frequentava a tempo pieno la Villa Comunale di fatto questo vantaggio (ammesso che lo fosse) se lo ritrovava.

Insomma Sasà era stato sempre per le filosofiche stranezze dei suoi comportamenti, in un certo senso, vecchio anche da giovane.

L'assurdo era che ora che vecchio lo era veramente, inconfutabilmente – la testa sconsolata con quattro capelli inverditi del colore che prende il panno nero quando invecchia, le spalle impalate – sembrava non accorgersene nessuno se non lui.

Non era stato un fatto di furbizia l'andare alla Villa da giovanotto. Proprio no!

Tutto si poteva dire di Sasà – volubile teatrante animello – tranne che fosse furbo.

Era che quell'uscire da sé, dalle stecche d'una gioventú che lo stringeva peggio d'un busto di gesso, gli piaceva non poco.

Per non parlare poi del fatto che le sue esibizioni d'afflizione di furor di pathos, quell'invocare e a un tempo maledire gli spiriti guerrieri del suo cuore, avevano un grande effetto sui vecchi silenziosi della Villa che assistevano increduli stupiti sbigottiti e talora – quando Sasà esagerava con le narici fischianti peggio della littorina etnea quando arrivava in stazione – un tantino preoccupati.

Sasà alla Villa aveva trovato il pubblico ideale, quello che guardava con pupille stanche renosicce e non fiatava. (I vecchi, si sa, sono avarissimi del loro fiato. E poiché parlando il fiato si sciupa, se ne stanno zitti. Di quando in quando solo un gemito catarroso da vecchie tortore).

Per capirci ci capivano poco e niente, specie quando Sasà gridava di *cupio dissolvi*, *ubi consistam*.

L'unica cosa, però, di cui erano certi era che Sasà, il figlio del Direttore didattico Azzarello, avesse qualche rotella fuori posto, o che chissà con quale diavolo ce l'aveva.

Sasà smaniava s'agitava implorava sputava mimava crisi epilettiche invocava la morte imprecava contro la natura matrigna che lo voleva infelice e sventurato. Saliva d'un balzo sul sedile si gettava a terra dalla spalliera con le braccia aperte ad ali d'uccello.

Poi, però, che il volo non superava il metro arrivava sano e vegeto sulla battuta di terriccio, tra qualche sputo di tabacco e odor di piscio.

I primi tempi, appena tornato da Padova dove aveva studiato all'università, i vecchi della Villa l'avevano guardato con una certa preoccupazione pensando che fosse fuori di testa per qualche malattia da bordelli, sifilide scolo cresta di gallo.

Come succedeva spesso ai soldatelli di leva, che poi per la vergogna non si facevano curare e, quando la malattia gli arrivava al cervello, impazzivano.

Piano piano però, a furia di vederlo ogni giorno, s'erano convinti che fosse solo una sceneggiata, uno spettacolo, che il figliolo del Direttore Azzarello era un teatrante nato, che suo padre aveva gettato chissà quanti denari per fargli studiare fesserie.

Mentre che per fare la scimmia, qual era la vocazione del ragazzo, non c'era bisogno d'una lira. Bastava solo affidarlo a qualche circo, di quelli che passavano da Bulàla in estate, ogni anno.

In ultimo s'erano convinti che Sasà aveva il *culo chino*, cioè che essendo figlio unico aveva il sazio di tutto, aveva il culo pieno, e per giunta faceva la scimmia.

A Bulàla il *culo chino* era considerato alla stregua d'una malattia. Certo i libri dei dottori non ne parlavano, nell'Enciclopedia medica alla lettera C non lo si trovava tra le patologie contemplate. Né costituiva argomento di diagnosi. Era, invece, una malattia a tutti gli effetti, meno appariscente di altre, ma piú insidiosa e recidiva.

Era la malattia di chi non aveva fatto il soldato, di chi a diciottanni aveva un vestito doppiopetto, di chi faceva notte al caffè Bellavista senza pensieri di mestiere.

Di chi mangiava carne tre volte a settimana, e gli altri giorni fegato rognogne reni.

Alla Villa i frequentatori abituali lo riconoscevano subito uno che avesse la malattia da *culo chino*.

Vestiti di lana fina comprata in città, scarpe di concia, la cravatta, i calzini di filo scozia con l'elastico fitto che non li faceva stramazzare alla caviglia come quelli di filanca. La brillantina nei capelli e, soprattutto, discorsi strampalati né in cielo né in terra.

Sasà Azzarello, figlio del Direttore didattico alle scuole elementari Cavour a piazza del Gesú, i sintomi della malattia ce li aveva tutti.

Segaligno, ossuto, asciutto, le giacche a doppiopetto, le mani affusolate, l'unghia curata di chi non ha mestiere, di chi non fa un bel niente.

– Che vuole questo?... chi è?... con chi ce l'ha? – dicevano in principio dinanzi ai capitomboli circensi, alle grida sussultuose di Sasà, quando ancora non lo conoscevano alla Villa, né avevano potuto farci il callo.

– Con la natura se la piglia questo scimunito fuori dalla grazia di Dio e proprio quest'anno ch'è piovuto a tempo giusto e il frumento è grosso come le olive... il fatto è uno solo, che è strammiàto e ha il culochino... abbaia... latra... ulula... con tutto questo studiare fa lo sminghiato e forse pure ci piglia per il culo a noi...

E ancora:

– Il Direttore Azzarello i danari per farlo studiare al Continente li ha gettati dalla finestra, letteralmente gettati... vedete... che meraviglia di risultato!... Ma poi che cosa ha studiato si può sapere? ingegnere non è avvocato non è... medico forse è? ma quale medico e medico! neanche per sogno...

– Quello al Continente **cose di pazzi** ha studiato che non valgono un fegato di moschiglione... tanto che ancora suo padre lo mantiene pure se ha moglie...

– Partito di testa è, sicuro... avanti indietro avanti indietro dalla Piazza alla Villa. Dalla Villa alla Piazza... fa il comizio sul palco rosso e poi si viene a gettare dalla spalliera del sedile con quella facciuzza affilata che mi pare l'arcangelo Raffaele... e quei piedi nichi nichi e quanto corre... dalla Villa alla Piazza e viceversa... senza sosta... pazzo pazzo sicuro la midúdda (il cervello) s'è mangiato al Continente... pace non ne ha...

– E non ne dà! – di rimando un altro.

– Con questa malattia solo una cosa c'è da fare, mandarli a lavorare, a calcinculo se è il caso... potare levare sterriccio... nettare le porcilaie... i pozzi... e un'altra cosa pure si può fare... lasciarli morti di fame fino a che i budelli calano dentro il cesso assieme al bisogno...

Infine infine, però, pure se lo criticavano di santa ragione ci si divertivano i vecchi con Sasà alla Villa, ci passavano tempo.

Lo sfottevano (ma lui non lo capiva per niente) ridacchiavano lo compativano.

A qualcuno ci scappava qualche lacrima quando Sasà recitava i suoi melodrammi con la voce in falsetto. Lui, allora, toccava il cielo con un dito, andava in fibrillazione dalla gioia.

Tanto chi glielo doveva dire che quella lacrima era solo un fatto di congiuntivite purulenta?

Sasà i suoi piccoli assaggi di vecchiaia li aveva fatti già in gioventú. Gli piaceva la Villa, gli piacevano i vecchi della Villa, che lo ascoltavano si commuovevano (cosí almeno lui credeva) e soprattutto lo commiseravano lo compativano quando gridava si contorceva declamava dalla prima *Catilinaria* pensando a chissà chi... *quo usque tandem abutere?...*

Oppure quando si fingeva epilettico torcigliando gli occhi, o quando si esercitava al suicidio lanciandosi da uno dei vecchi sedili.

Le stesse cose Sasà Azzarello aveva provato a farle alla Piazza ma le pernacchie erano state tali sonore come neanche la squilla delle trombe dei bersaglieri per la festa del due giugno, quando correvano per il corso – dal camposanto al Calvario – e i rondoni ingrondavano fino a notte per la paura e riapparivano solo quando il primo lampione a petrolio illuminava della sua luce giallognola l'acciottolato della strada.

Al tempo in cui avvenivano queste prime esibizioni, questo teatrino in Villa, Sasà Azzarello si era appena laureato in filosofia.

A laurearsi ci aveva messo due anni in piú, ma solo perché gravissimi motivi d'onore e vita ne avevano interrotto gli studi a Padova, e ne avevano consigliato prudenza al riparo delle mura domestiche col conforto di suo padre, esimio Direttore didattico, della zia nubile Carolina che aveva una gran bella pensione d'invalidità, e della madre Tommasina.

Per due anni se n'era stato tappato in casa urlando sceneggiando inveendo recitando magnificamente la scena dell'esule del prigioniero del recluso dello strazio d'avere perso l'Ada, il suo unico immenso infelice amore. Una ragazzotta friulana alta due metri, con polpacci bovini tale impettuti che parevano di stucco come li facevano ai putti per il carro della Vergine Immacolata quando, l'otto dicembre, si portava in processione per le vie di Bulàla.

Era il 1955 e, quattro mesi dopo la laurea, Sasà Azzarello s'era in frettefuria, precipitosamente maritato o meglio l'avevano maritato.

Suo padre l'aveva maritato scegliendogli per moglie Maddalenina. Dopo quarantadue giorni appena di fidanzamento.

Sebbene la fidanzata, Maddalenina, d'un paese vicino, non fosse affatto incinta, come qualche malalingua aveva sospettato.

– Bianca e vergine come una palombella appena nata, Maddalenina. Illibata aggraziata un vero santino di quelli in gesso buoni per soprammobile sul comò...

Cosí gliela aveva descritta e con mille altre sdolcinatezze suo padre il Direttore Azzarello, ancora incredulo per lo scampato pericolo della friulana dai polpacci duri come marmo, che ce l'aveva messa tutta a farsi sposare da quel minchione di suo figlio.

Maddalenina, il santino da comò, aveva anche artigli di falco. Ma questo Sasà l'avrebbe scoperto da sé, subito dopo il matrimonio, due giorni dopo per l'esattezza, quando Maddalenina gli aveva tirato, centrandolo in pieno, una frittata sguazzante d'olio bollente, direttamente dalla padella.

Otto giorni al buio era rimasto, con una doglia cupa rabbiosa, un miagolio sommerso pudico, con la balza di merletto del lenzuolo a tappargli la bocca, a ricacciarlo in gola il grido d'invocazione *Ada Ada Adaaaaa* ché Maddalenina manesca com'era chissà cos'altro poteva fargli, oltre ad averlo quasi accecato.

Otto giorni al buio con mezzo chilo di vegetallumina sulla guancia sinistra, e una montagna di fette di patata cruda sull'occhio.

L'olio bollente gli aveva bruciato la faccia sino alla seconda pelle e avrebbe potuto rimetterci l'occhio se la palpebra per tempo, rincucciandosi miracolosamente, non avesse riparato la pupilla.

Il matrimonio era stato un vero disastro, e Sasà l'aveva capito subito.

Ma quel che piú lo sgomentava lo atterriva lo terrorizzava era Maddalenina, pazza sciagurata assassina per vocazione bandita scannalora diavola briganta...

Tornando indietro – al tempo in cui il partito dei vecchi in Villa suggeriva che bisognava farlo morire di fame Sasà Azzarello, e i tipi come lui, fino a fargli scivolare dentr'al cesso le budella – anche quella dello scontro generazionale, dell'agone padre-figlio era storia vecchia.

Sasà già da ragazzo si scontrava col padre, scontri che lui fantasiava come tragici apocalittici mentre si trattava di piccole scaramucce in cui comunque il padre aveva sempre l'ultima parola dato che la sua era solo una finta ribellione, piú per scena per enfasi teatrale.

Sotto sotto, infatti, gli ubbidiva per filo e per segno, anche in considerazione del fatto che il padre gli organizzava la vita in ogni piú piccolo dettaglio. E Sasà lo sapeva benissimo che senza suo padre i vermi ci poteva fare.

La scena dello scontro generazionale era piú o meno questa.

Sasà si barricava in camera in eroico isolamento, in sovrumano silenzio, a dare prova di carattere di temperamento – carattere e temperamento che Sasà sapeva benissimo di non possedere – nel piú sdegnoso rifiuto del cibo, almeno nella misura in cui cibo significava sedersi a tavola affogarsi davanti a una scodella di maccheroni al sugo di filetto di maiale, o alla torta di ricotta, capolavoro della zia Carolina.

A tavola non ci andava Sasà – non l'avrebbe mai interrotto quello stoico ammutinamento, cui demandava la sua inesistente forza d'animo – né interrompeva l'eroico digiuno, con cui diceva di volersi misurare insino a che lo sfinimento fosse stato totale, fino a che ogni oncia della sua carne si fosse consunta come una candela di sego e i suoi ossetti si fossero scontorti annichiliti nello spasimo dell'agonia.

Il primo giorno Sasà lo saltava davvero il pranzo. Ma la sera, piano piano, le falangette affamate della sua mano afferravano, per uno spiraglio della porta, la scodella con la trippa le melenzane a beccafico il piatto dei maccheroni col sugo la torta con la ricotta che zia Carolina lasciava proprio dietro la porta su di una tovaglia bianca piegata in quattro.

La porta, però, quella restava chiusa con lui dentro a sentire i commenti di suo padre nella sala da pranzo e, quando la voce gli arrivava rasposa cupa con una sorta di risucchio, schiudeva la porta e ascoltava.

Questo era il motivo per cui i cardini della sua porta non cigolavano, ripassati due volte a settimana con olio d'oliva proprio ad ammansirne lo sgrigliolio che, di notte, col sereno, sparava in tutta la casa peggio del gallo della vicina.

Suo padre, il Direttore didattico Azzarello, per quanto avesse sonno di pietra come nell'incantesimo della Bella Addormentata, se ne sarebbe di sicuro accorto.

In realtà il Direttore Azzarello lo sapeva benissimo che suo figlio Sasà non ci moriva affatto di fame e che quello che non mangiava a pranzo, alla vista di tutti, seduto a tavola alla sua destra, se lo strafogava, di notte, in camera sua.

Quando poi usciva, due tre giorni dopo, Sasà aveva le guance piene scialarate, e una pelle luccichente del colore delle magnolie, lui che di solito era verde, del colore del fegato quando intossica e fa la cirrosi.

– Tutto a posto tutto a posto... Cornelio – con queste parole Tommasina, la madre di Sasà, rassicurava il marito del fatto che il figliolo avesse mangiato.

E poi azzardava: – ... è che ha la testa calda... è troppo intelligente da te ha preso... Cornè.

La madre di Sasà, Tommasina, era una donnina sciatta insignificante, con la pelle grigia come i gatti quando prendono la rogna e dei ginocchi gonfi a palla da cavolo cappuccio. Scarsa di cervello come di petto e fianchi.

Non è che lo sapesse bene cos'era l'intelligenza, Tommasina.

Una cosa però la sapeva al riguardo, quella che lei non era intelligente. Di questo l'aveva persuasa il marito Cornelio con un lavaggio di cervello che durava da almeno ventanni.

Cornelio in tutte le salse in tutte le lingue glielo aveva detto:

– Sei cretina Tommasí! hai capito? l'intelligenza è cosa rara. Che ti credi che si compra al mercato come i broccoli e la sparacella? che pensi che è come averci gli occhi il naso i piedi che ce li hanno tutti?... altro è... altro... Una cosa rara complicata Tommasí credi a me...

E Tommasina gli aveva creduto. Ci s'era abituata all'idea d'essere cretina, e lo diceva lo riconosceva piú però per fare contento il marito. Dato che a lei dell'intelligenza non gliene importava un fico secco.

Il ragionamento di Tommasina riguardo all'intelligenza – visto che non lo sapeva in concreto che diavolo fosse, quali connotati avesse – era chiaro e trasparente come l'acqua del pozzo.

Se suo marito, il Direttore Azzarello, era intelligente perché comandava a bacchetta maestri bidelli segretari (nessuno che gli dicesse bícchete) e pure gli operai in campagna faceva filare; se suo marito Cornelio faceva fruttare la sua dote alla banca era chiaro che lei, visto che non faceva niente di tutto questo, non era intelligente.

Forse che le riusciva di comandare? no, nessuno... Non le riusciva di comandare nemmeno Nazarena, che una volta a settimana veniva a farle il bucato grosso dei lenzuoli con l'azzòlo, per via che l'azzòlo ci levava le macchie ingiallite di stantio al lino bianco.

Lei, infatti, corta com'era, rischiava d'annegarci nella pilozza se solo si sporgeva un po' accicognando i fusoletti delle gambe.

Solo la gatta Anita pareva ubbidirle quando s'acciambellava sopra i suoi piedi e glieli scaldava con la cova del pelo.

Ma era troppo poco. Di conseguenza scartato il partito dell'intelligenza, non restava che il partito della non intelligenza, o meglio per dirla col Direttore Azzarello, dell'asinità, della minchioneria.

Sasà, però, era intelligente come il padre. A quattro anni sapeva tutte le capitali d'Europa.

A cinque sapeva leggere. A sei anni recitava poesie a memoria, ogni Pasqua e Natale, con l'intonazione e le mosse. Una meraviglia a sentirlo! (L'abitudine di recitare poesie al pranzo di Pasqua e Natale, Sasà l'aveva mantenuta anche dopo che s'era maritato, di nascosto a sua moglie Maddalenina e con ogni circospezione, davanti a papà Cornelio mamma Tommasina e zia Carolina che poi gli battevano le mani e gli chiedevano il bis).

Sasà aveva il suo caratterino, fin da piccolo. *E che caratterino!* diceva Tommasina riguardo a quel suo unico figlio, ma intelligenza e sanguebollente camminano a braccetto. Con quest'ultima considerazione si confortava non poco della mala creanza del suo Sasà.

Anche se giusto con lei però Sasà era sempre rispettoso ed educato. Tranne forse qualche facchineria nei due anni fatidici, tra i venti e i ventidue, quando aveva dovuto interrompere l'università, e restarsene tappato in casa a Bulàla vista la gravità delle circostanze che, oltre al suo onore, avevano rischiato di mettere in serio pericolo la sua vita.

Sasà era un buon figliolo. Con lei che era la madre ci parlava Sasà.

Col padre, invece, si faceva mutangolo scontroso abbottonato come i tori quando studiano di caricare il torero.

Con lei ci discorreva e lei, Tommasina, ne era proprio contenta com'era convinta che il marito non lo sapesse prendere quel figliolo.

– Maaa' (a Bulàla *maaa'* valeva per mamma) la canottiera... maaaa' l'hai lucidate le scarpe testadimoro... col panno di lana?... maaa' preparami il bagno maaa' il bicarbonato... maaa' l'olio di ricino... maaa' dov'è Baudelaire?

A quest'ultima richiesta la poveretta credendo che chiedesse del bordello, si faceva il segno della croce, e dava forza di gomito a lucentargli le scarpe testadimoro.

– Maaa' la gazzosa... maaaa' l'acqua bollita **subito!** ché la trippa me la sento nel cannarozzo... di traverso specie la millepelli... maaa' gettala dal terrazzo questa gattaccia che ha la cacarella... maaaa' le unghie tagliami (erano quelle dei piedi)... maaa' la supposta per le tonsille piano pianoooo mi raccomando ché quella è una parte delicata piú della faccia pianooo... ahi ahiiii.

E gridava come se lo scannassero mentre che ancora le supposte erano sul comodino.

Il fatto era che la sua mancanza di coraggio era totale, anche riguardo a una supposta o un piede slogato o un'unghia incarnita.

Sasà chiamava **maaa'** sua madre Tommasina, perché a Bulàla *mamma* lo dicevano le femmine.

I maschi, per distinguersi, s'erano rigorosamente riservati **maaa**'. Asciutto secco maschio imperioso senza smancerie.

Questo era il tono del dialogo di Sasà con sua madre, quando però Sasà era di buon umore. Quando si alzava con la luna giusta. Quando non aveva la diarrea né l'acido, quando la gatta Anita non gli cacava sulla coperta, o su uno dei dialoghi di Platone.

Allora diventava un Lucifero, allora aveva un diavolo per capello. Allora sbraitava, inseguiva la gatta Anita lanciandole appresso tutte le scarpe che c'erano nel ripostiglio, ma quella aveva sempre la meglio, specie s'erano giorni di cacarella.

E Sasà ne sapeva qualcosa. Ammaccature slogature aschiatíne d'ossa a non finire a furia d'inseguirla sino sul terrazzo e sulle scale, di giorno come di notte! e cascarci steso secco per via della cacarella che sui mattoni a scaglie era peggio della cera.

Un tormento per tutta la famiglia erano stati i due anni in cui Sasà era stato costretto da inenarrabili sciagure legate al suo sventurato amore per Ada la friulana, a restarsene a casa.

Per cosí dire «agli arresti domiciliari». Sebbene la legge in quel caso non c'entrava un fico secco.

In quel periodo Sasà se ne stava in pigiama tutto il giorno, gli occhi intontiti, la pistagna dei pantaloni aperta, la pelle del colore delle faluche gravide, gli ossi mascellari itterici puntuti che quasi glielo sforacchiavano il telino della pelle, il petto macilento, scosso da un tremito d'epilessia o da convulsioni da vermi.

Tutto il giorno chino allo scrittoio, la testa storta che gli cascava da una parte, a scrivere montagne di lettere che poi appallottolate nervosamente, tra lo spasimo delle dita, finivano dentro la coffa o nella bagnera d'alluminio, allato allo scrittoio.

E in ultimo, a tarda sera, tra immondizie d'ogni specie all'angolo della strada.

Due sacchi pienipieni ogni sera, sul tardi, li trascinava per le ripidissime rampe di scale la zia Carolina, la sorella della madre di Sasà che nubile – il corpo d'un ragnetto, la pelle del colore delle vesti di lutto, lenta di comprendonio (sosteneva Cornelio) – viveva con loro da sempre. E aveva una bella pensione d'invalidità.

Carolina ogni sera si caricava peggio d'un mulo. Le ossa da passerino scricchiolavano minacciando di schizzare via dal reticolato leggio del petto ma il cognato Cornelio, padre di Sasà, era stato perentorio al riguardo:

– Tu ci devi andare a gettare l'immondizia, come sempre, Carolina... sennò questi cornutazzi – alludeva ai vicini – si mangiano la foglia... tu come sempre ci devi andare... senza dare nell'occhio... intesi? e che gesummaria non si può fare un sacrificio per un nipote... l'unico nipote poi...? che ci vuoi fare se abbiamo passato una disgrazia? È colpa mia forse? e ancora ancora che è finita cosí!... sia lodato il Paradiso con tutti i santi... a com'era presa con quella buttana friulana, che se lo voleva maritare a tutti i costi il nostro Sasà... Miracolo è stato ch'è finita cosí... ci passa ci passa... ci passa ti dico... lasciatelo scrivere... a chi fa male? scrivendo sfoga il ragazzo e a quella non ci pensa piú...

La carta rizzoliata e anniuricata da fiumi d'inchiostro pesava poco, a dire il vero. Piú era l'ingombro dei sacchi che Carolina rischiava di pigliarsi sotto i piedi.

Quando a notte Carolina, queta queta – i vicini erano curiosi impiccioni malelingue – accugnava i sacchi con le lettere di Sasà alle immondizie comuni – scope vecchie stracci barattoli vuoti sale con la muffa pitali sgrangati –

c'era un vero e proprio torneo di gatti. Una corrida di bestiacce digiune.

Chi dai doccioni della grondaia, chi dalle tegole del palazzetto accanto, chi dal vicolo della Pergola, in salto in volo, s'avventavano sui sacchi a cercarvi lardo mortadella rancida croste di pecorino salato.

Carolina, muta, senza pipitiàre, restava per qualche minuto sotto la furiosa giostra di quei randagi e qualche unghiata la rimediava pure.

Il fatto era che, quantunque si legassero per bene i sacchi con tre giri di spago intorciniati fitti, i gatti riuscivano lo stesso a farne scempio con l'unghia e coi denti.

E non c'era verso di farli smettere.

Il vicolo si riempiva, paro paro, delle lettere di Sasà. Ovunque, nei canti nel tombino delle fogne nei doccioni delle grondaie e da lontano, sotto la luna, poteva sembrare che un pazzo avesse imbrattato di biacca tutto il vicoletto che di giorno era scuro sudicio rassicurante.

Se, poi, c'era vento era una tragedia perché le palle di carta arrotolata, sulla coda del soffio, volavano imbizzivano inquietavano l'acciottolato allattato da un filo di luna. Gobbetto qua scontorto là dove c'era pendenza.

E infine approdavano, senza piú soffio di tramontana, in un vicolo cieco, tre strade in giú.

Lo spazzino, il Pricòco, sulle prime s'era lagnato di brutto, poi piú niente, quando aveva capito che poteva trarne un guadagno a lungo termine, grazie al fatto che il Direttore Azzarello gli pagava per benino e il lavoro in piú e, soprattutto, il segreto la riservatezza sul caso del suo sciagurato infelice figliuolo.

Il Direttore didattico Cornelio Azzarello che ci teneva all'onore alla riservatezza – erano il suo fiore all'occhiello – in primis aveva ordinato alla cognata Carolina di perlustrare, mattone per mattone, strada per strada, basola per basola, il quartiere prima che fosse l'alba, quando in strada ancora era buio fitto da scannapecore e, raccolta la cartaccia ovunque fosse intanata sui doccioni come sui fili di zinco per il bucato, bruciarla all'istante con l'aiuto del petrolio.

Bisogna dire che *cartaccia* chiamava il Direttore Azzarello le tormentate lettere di Sasà, mai finite alcune, mai cominciate altre. Frutto del suo spasimo del suo tormento.

Cornelio Azzarello, veramente, con un termine caro al Cataratta, quand'era da solo e non c'era Carolina, le chiamava **minggghiate**, le lettere di Sasà. Con la **g** anzi con tre **g**.

Cosí, a conti fatti, Carolina scontava in prima persona, senza che n'avesse donde, i dolenti funesti casi che avevano costretto il nipote Sasà a lasciare Padova, e tornarsene a precipizio in paese.

La notte, Carolina la passava in strada ad accanzare i sacchi pieni di cartaccia, e, di prima mattina, la si vedeva ai Quattro canti come le sonnambule.

Pallida da fare spavento per il sonno perso, via via che la storia andava avanti, a raccattare la carta sparpagliata qua e là e bruciarla per tempo. Prima che la luce del giorno rianimasse il quartiere, e le chiacchiere dei vicini.

Le gambe mutilate dal freddo, gli occhi a pestagnina, le palpebre pesanti come macigni ingrommati di muschio per il gran sonno. Cosí ogni notte.

Che, poi, santiddio, quanto scriveva quel figliolo! E che?... cento... duecento lettere al giorno... si poteva sapere? e ognuna... sette... otto anche dieci fogli.

Sí lo sfogo, sí la disperazione, sí lasciarlo fare ma buon Dio un po' di controllo! – pensava Carolina, dopo il primo anno di quel suo incolpevole sciagurato errabondare notturno. Di quella sua vita da sonnambula spazzina che le aveva divorato almeno dieci chili tra carne e ossa.

E che? non c'era mica lui solo al mondo!... non era il primo né l'ultimo a soffrire per amore... anche se quell'Ada, alta quanto il campanile della Matrice... mahhh booooo tanta simpatia non gliel'aveva ispirata quando, assieme a Sasà, era approdata a Bulàla... e in ultimo, comunque fosse andata la faccenda, doveva scontarle proprio lei le sue fisime?

– Santo Sasà! un po'di rispetto per tua zia Carolina – mugugnava a denti stretti Carolina quando dal corridoio sentiva l'ennesimo strappo di carta. E raggricciava nelle carnine incartapecorite al pensiero di fare nottata tra le immondizie e i gatti randagi che parevano pazzi... – Né tu il primo né tu l'ultimo figlio santo! – sussurrava mentre l'ossetto della tibia tremoliziava ch'era un piacere!

Fortuna, però, che la carta la portava a scatoli di mille fogli l'uno, dalla segreteria della sua scuola, il padre di Sasà, Cornelio, perché a comprarla alla tipografia, con quello che costava, sarebbe stato un bell'affare!

Quella zòllera d'una friulana, quella buttana del Continente glielo aveva guastato il figliolo, distrutto come lo ziretto di terracotta col basilico dentro quand'era caduto dal terrazzino giú in strada sulle basole nere di pietra e s'era ridotto in mille pezzi – pensava Cornelio.

E ora toccava a lui, ch'era il padre, con la santa pazienza che solo l'amore d'un padre detta, rimettere insieme i cocci del suo Sasà.

Non era forse Sasà il suo adorato figlio? il suo unico amatissimo figlio? la luce degli occhi suoi? il faro della sua vecchiaia?

La domanda era retorica e la risposta era sí sí sí sííííííí.

Questo era Sasà, e molto di piú per il Direttore Azzarello. Seppure quel figliolo benedetto di guai gliene aveva rifilati a bizzeffe.

Ma cosa non fa un padre per un figlio?

Anche questa era una domanda retorica che presupponeva come risposta: tutto. Tutto fa un padre per un figlio. Anche rubare la carta della scuola. Che poi non si trattava affatto di rubare, secondo l'opinione di Cornelio.

Non era forse sua la scuola elementare Cavour, vinta con tanto di concorso e sedici anni di ruolo come maestro elementare?

A dire la verità il Direttore Azzarello, oltre alla carta per scrivere, anche la carta igienica prelevava dagli sgabuzzini della scuola (e quella non certo a causa della follia di Sasà). Come pure il disinfettante la candeggina e il didditti.

Senza rimorso di coscienza Cornelio Azzarello ripeteva sempre d'amministrare la sua scuola come un buon padre di famiglia. Non c'erano orari per lui quand'era il caso! Non si faceva scrupolo di passarci la notte al bisogno.

Altro che rotoli di carta igienica avrebbe meritato per la sua abnegazione, il suo piglio di vero capo, il suo pugno di ferro con tanti delinquenti poltronacci sguallarati talleri laddentro scansafatiche ignorantacci. Per di piú, velenosi come tarantole.

E poi chi la voleva cotta, chi la voleva cruda, il broncio per questo, l'occhiataccia da malocchio per quell'altro.

Lui solo, Cornelio Azzarello, ci poteva a metterli in riga col pugno di ferro, a farli marciare come pecorelle al pascolo!

Lui, l'esimio! Cavaliere della Repubblica: Cornelio Azzarello.

La carta igienica era del tipo piú scarso che ci fosse. Crespata sottilissima trasparente ruvida, un niente e s'infilava dentro le dita, a mo' di mezzoguanto.

Poi, di conseguenza, le dita naufragavano, persa la scialuppa, dritte dritte nel culo.

Quando la moglie Tommasina glielo faceva notare che quella carta era fina come un velo di cipolla, Cornelio Azzarello incurriando il petto per darsi tono rispondeva:

– ... è che sei tutta scema Tommasí. Il culo ci si asciuga con questa, non la faccia! E per il culo magnifica è te lo garantisco... magnifica...

Tommasina, se non capiva di Platone e d'intelligenza, di carta igienica ne capiva benissimo.

Poi che le sparate e la prepotenza del marito ben le conosceva, non replicava nemmeno una sillaba, però la carta igienica per lei e per sua sorella Carolina la comprava nella migliore rivendita di Bulàla. Da Nanuzza. Carta che sembrava lino! e ci stava attenta a nasconderla per bene nella cassapanca del suo corredo.

– Lasciatelo scrivere... scrivere male non ne fa... sfoga vi dico... ringraziate la Madonna che ce l'ha voluto salvare... quale tragedia con questo solo figlio che il Signore ci ha dato... meglio morto che saperlo...

Arrivato al *meglio morto che saperlo*... il Direttore Azzarello s'arrestava di botto.

La parola che veniva subito dopo il *saperlo* era impronunciabile. Restava nell'aria sottintesa sibillina minacciosa.

Un macigno uno smottamento della montagna una diga che tracima a valle. Un'eruzione un boato quella parola, anzi piú d'ognuno di questi disastri. Piú di tutti messi insieme.

Non c'era paragone con niente, nemmeno la sifilide, nemmeno gli orecchioni fatti da grande quando uno ci restava *ricchione*, *frocio*, per sempre.

...*Meglio morto che saperlo*...

Quella parola (un sostantivo? un aggettivo?) gli moriva in gola al Direttore Azzarello, come un polpo che dissangua la laringe.

La voce imperiosa roboante quando diceva *meglio morto*, come chi declami in civico consesso, subiva subito dopo una picchiata vertiginosa, nel naufragio totale del respiro che diventava asmatico meschinello al punto in cui bisognava pur chiarirla quella condicio quello status al cui confronto la morte era un vero privilegio, una *laus coeli*.

Il fatto era che proprio quella parola non gli usciva, e, visti vani due tre quattro tentativi a schiarirsela la voce, a farselo tornare il fiato di petto con un quarto d'acquavite e il raspo alla gola, infine Cornelio Azzarello ci rinunciava. Del resto Tommasina e Carolina cui la frase era rivolta la conoscevano benissimo *quella parola*.

Cotta e cruda la sapevano. Infratita nel cervello a furia di ronzarci attorno, Cornelio, ogni attimo della giornata tale insistente che le sventurate non ne potevano piú di padre e figlio, di cognato e di nipote.

Al diavolo tutt'e due! uno piú pazzigno dell'altro. Uno piú sanguisuga dell'altro. Uno piú sciòsciolo dell'altro.

Mangiava il suo Sasà? dormiva il suo Sasà? ce l'aveva ancora con lui il suo adorato figlio integro tutt'intero tale e quale era partito per quella sciagurata città del Continente, Padova? questo contava, questo solo e nient'altro, solo questo, ripeteva cento volte al minuto Cornelio Azzarello quando spazientiva con Sasà e il collo gli diventava rosso cupo come quello d'un tacchino.

Alle donne Cornelio faceva una testa cosí. Tale le torturava con i casi del suo Sasà, che le poverette meditavano d'andarsene e lasciarli soli, a impidocchirsi, a fare la rogna, padre e figlio. Insieme.

Proprio non ce la facevano piú, Carolina e Tommasina. Non tanto per la vicenda dell'Ada in sé e per sé, quella era stata solo una ragazzotta con una fame da lupi, forse per via ch'era alta quasi due metri. E poi la sposasse o no, non faceva loro né caldo né freddo. Non gliene fregava un bel niente!

La filosofia di Tommasina a quel punto della vita – anche lei come il marito ce l'aveva una filosofia – riguardo al matrimonio della friulana con Sasà era: uno di meno!

E dicendo *uno di meno* pensava a quante notti avrebbe dormito in santa pace senza gli spasimi finti o veri da lupomannaro di Sasà, che voleva a tutti i costi l'Ada, la friulana dai polpacci di cinghiale.

E nello stesso tempo Tommasina pensava agli spasimi – non erano cosa da poco – di suo marito Cornelio, che non gliela voleva dare per moglie a Sasà quella buttana coi fianchi larghi, come le male femmine scasciàte.

Tommasina pensava al silenzio che ormai solo in chiesa dai Cappuccini le riusciva d'assaporare, la domenica a messa. Giusto a non scordarsene di quant'era bello il silenzio!

Mentre quando c'erano quei due in casa, pazzi, padre e figlio, della stessa malapasta, era sempre bordello. Erano sempre schiamazzi urla gemiti minacce implorazioni...

Per Tommasina dunque non era la faccenda dell'Ada, il vero problema, ma tutta la sceneggiata, il melodramma che padre e figlio v'avevano costruito.

Un labirinto di ipotesi, promesse, iniziative minacce. Un casino e loro, lei e Carolina, proprio non ce la facevano piú. Allo sfinimento erano, proprio allo sfinimento.

Come si poteva reggere un marito come Cornelio Azzarello e un figlio come Sasà?

Spesso questa domanda Tommasina la faceva al quadro della Vergine Maria, che aveva proprio in cima alla spalliera del letto.

E anche la Madonna pareva darle ragione sul fatto che no, no e poi no! un marito e un figlio cosí non si potevano reggere.

E allora Vergine bella?

Allora niente! solo armarsi di santa pazienza! – rispondeva l'Immacolata dal capezzale di gesso – e confidare nella Provvidenza.

Lui, il Direttore Cornelio Azzarello, il malo presentimento, quando Sasà s'era incaponito che doveva andarci a Padova per l'università, ce l'aveva avuto.

Quella volta bisognava tenere duro, tenergli testa. Chiuderlo sotto chiave, se necessario, come faceva con le forme di pecorino coi vermi che gli appestavano il ripostiglio, dove non c'era un solo soffio d'aria. Non un filino di refrigerio, nemmeno quand'era vento di ponente tale spacchiuso che scoperchiava le tegole delle case una a una e le travi di legno dei tetti, nude atterrite senza il calore della terracotta, cadaveri parevano da lontano. E il vuoto lasciato dalle tegole rugginose disegnava, sulle travi, occhi grandi spaventosi.

Era stato debole quella volta di fronte al ricatto del suo Sasà, Cornelio Azzarello.

Sempre se lo ripeteva, fino a che gli scendeva giú nel cannarozzo, dritto all'ulcera che gli si era aperta. Grande come un'arancia, e non se ne dava pace.

Ma Sasà irremovibile era stato, presa la maturità: – Padova! Padova o niente, – aveva detto. Per una volta parco di parole, stringato come non era mai!

Ove *niente* si traduceva nel pensiero di Cornelio Azzarello: **niente laurea**.

A spasso a zonzo a scimmiottare alla Villa dal mattino

quando aprivano i cancelli, alla sera, quando li chiudevano. A diventare cretino quel suo figliolo, come sua moglie Tommasina. Una tronza!

Cornelio era stato proprio disperato, nei mesi susseguenti la maturità liceale del figlio Sasà. Un vero incubo.

Ci pensava notte e giorno, e non si dava pace, né riusciva a trovarla una soluzione, sebbene se le spremesse le meningi come fossero limoni verdelli.

Pensava rimuginava in assoluto silenzio, però. Tutto dentro come il morbillo quando accottúra le budella. Non una parola sennò Sasà poteva incarognirsi di piú, e addio! speranza.

Che fare? a chi chiedere consiglio? che pesci pigliare? da chi avere conforto suggerimento visto che aveva accanto due scimunite, moglie e cognata, che sembravano non accorgersi delle sue ambasce, dell'insonnia, dei sudori freddi e improvvisi come chi ha l'infarto addosso. Né dei suoi chili persi a pensare meditare riflettere programmare, e ancora ripensare congetturare rinviare. Insomma solo come un cane era stato alle prese con quel figliuolo testardo, per questo aveva sbagliato infine arrendendosi al ricatto: **Padova o niente!**

Niente niente – avrebbe dovuto rispondergli con ostentata fermezza. Anche se arrivato alla parola **niente** lui sbiancava come i teli a bagno nella candeggina.

Il cuore, poi, gli si fermava. Prima il battito si faceva lento tooooc to o cccc, infine piú nulla.

Niente avrebbe dovuto rispondergli, sebbene a quel tempo nemmeno la piú pallida idea lo aveva sfiorato circa l'immane pericolo, l'ignobile obbrobriosa trappola tesa al suo Sasà.

Quando, a quel tempo, pensava al suo Sasà solo a Padova gli s'arrizzava il pelo sulle ossa sebbene lontanissimo dal supporre quali spaventosi pericoli in agguato.

Chi mai profeta veggente scrittore avrebbe potuto prevedere i fatti e i misfatti dell'Ada!? le circonvenzioni le ignobili trappole da lei tese a danno del suo ingenuo figlio, di certo destinato a soccombere miseramente se lui... lui... col suo amore di padre e la fermezza di Direttore didattico... non fosse... ah... uh uh ahah uhh sí certo sicuro... giusto giusto in tempo quando ormai... sul precipizio Sasà... sulla voragine... il baratro... quella buttanona...

Che inferno aveva passato quell'estate della maturità liceale del suo Sasà!

Come poteva mandarcelo a Padova? le distanze erano enormi. Padova era dall'altra parte del mondo!

Cornelio Azzarello che la geografia la conosceva proprio bene, ogni mattina con l'indice sulla carta geografica ci saliva a Padova. Da Bulàla.

Su e giú mille volte fino a che il polpastrello non se lo sentiva piú. Inzuarúto tutto.

Su e giú sperando nel miracolo che una mattina potesse trovarcela Padova al posto di Reggio Calabria.

Sullo Stretto Cornelio ci voleva Padova, non Reggio Calabria. Padova, a un'ora di ferribbotto (traghetto) dalla Sicilia.

Il suo Sasà a Padova voleva andare. Si c'era fissato, e lui, se fossero bastati amici e intrallazzi pur di piazzare Padova sullo Stretto, cosa non avrebbe fatto?

La domanda era retorica, sottaceva come risposta un immane roboante *tutto tutto*. Compreso alterare la geografia dell'Italia e, se non bastava, del mondo intero!

Ora il problema era questo: non bisognava contrariarlo il ragazzo. Per nessunissimo motivo.

Ah benedetta **Pedagogia**! benedetta!

Quante cose sa un padre che ha studiato pedagogia al magistrale rispetto a uno che non ne sappia un accidenti!

Pedagogia benedetta! già solo a pronunciarne il nome, Cornelio si sentiva meglio, rassicurato.

Convinto che nei metodi educativi sperimentati da illustri pedagogisti, di fama internazionale, avrebbe trovato la soluzione a quel problema che minacciava di fargli scoppiare, tutte insieme, le vene della testa.

Cornelio si faceva coraggio pensando che per vincere il concorso di Direttore didattico (che musica quelle due paroline *Direttore didattico*, che sinfonia!) su tre testi di pedagogia aveva studiato, e perciò l'aveva vinto il concorso. Stravinto.

Giunti a quel punto, ogni volta, suo fratello Antonino, che le frottole le pativa come l'orticaria ai gelsi quand'era ragazzo, borbottava che il concorso Cornelio l'aveva vinto con le botti di vino del loro padre, Rolando.

Benedetta Pedagogia! che gli insegnava come prenderlo quel figliolo con la testa calda dei poeti. Delicato nei pensieri come una viola mammola! intellettuale supremo...

Delicato solo nei pensieri, però! ché riguardo al *resto* altro che delicato Sasà!

Un toro, un TORO era! Anche se le buttane di via delle Finanze, a Catania, riguardo alla virilità di Sasà giovincello, piuttosto laconiche asciutte erano state, nel riferirne a Cornelio in vera trepidazione sul sofà del salottino:

– Il ragazzo è lento Direttore... lentino timiduccio... stentato... lo fa di malocuore non c'è da sperarci molto...

A quel punto Cornelio, che da quell'orecchio non ci sentiva – sordo come una campana se solo si metteva in dubbio la mascolinità del suo Sasà – cominciava a tirare fuori dalle tese del cappello, rinculato sopra le orecchie, una pila di banconote.

Certi fogliacci grandi quanto il panno dei neonati per farci la pipí.

Poi, con una botta secca della mano sinistra, si riazzummàva il cappello in testa. Il punto di confine estremo erano le orecchie a muscalòro mentre con la destra allungava banconote alle buttane, che certo dovevano aver frainteso. Che certo l'avevano presa alla leggera, che dovevano essere prudenti e passarsi la mano sulla coscienza prima di comprometterlo per sempre l'avvenire d'un giovane! (C'è da dire che a Bulàla l'avvenire si progettava dalla cintola in giú, a dirlo con eleganza. A dirlo alla carcaràra, lo si progettava in quell'angusto-augusto loco occupato dalla Madreminchia).

Le buttane, leste di cervello, che l'odore della moneta lo sentivano a tre isolati di distanza, glielo leggevano chiaro chiaro negli occhi di Cornelio – lupigni accravunàti per l'attesa – cosa voleva sentirsi dire, e l'accontentavano.

– ... Che ragazzo! all'inizio timido pareva... impacciato... tutta scena... tutta scena e invece? un masculone come non se ne vedono a Catania dal tempo dei saracini, dal tempo dei mori... un toro... Una vera fortuna per un padre! sicuro una fortuna...!

Gli occhi di Cornelio, a fronte di quel dotto parere – qual piú sicuro? piú attendibile? – scintillavano spicchiuliàvano come cocci di vetro al sole.

Zampillanti vaguli or qua, agli entusiasmi della prima buttana, or là, alle mirabilia della seconda che, in virtú di qualche strida e stecca della voce, n'ebbe un diecimila in piú.

Con grande dispetto dell'altra che, se pure magnanima di menzogne e accrescitivi, non era stata all'altezza della collega, quanto a vocalizzi e intonazione.

Ora col cavolo che Cornelio se lo perdeva quel figlio concimato dai suoi occhi medesimi, istante dopo istante, dacché Sasà era venuto al mondo!

Che estate, quella! e non solo quella!

Quando Cornelio diceva cosí, pensando a quell'altra ben piú terribile estate, quando per un pelo non l'aveva perso il suo, suo sí, suo Sasà per via d'una tripla bottana, il sangue gli attuppava le vene madri del cervello.

Le tempie facevano il verso dei cavalli quando stricano lo zoccolo nuovo.

Le pupille tumefatte si 'nnacoliavano **destrrr sinistrrr sinistrrr destrrr** come per un bizzarro tic nervoso, o una squatriatina del cervelletto.

Già, la laurea che s'era scelto Sasà era una vera schifezza. Platone Kant Spinoza e altri sminghiati mammalucconi che avevano stretto la cinghia e fatto una fame nera per tutta la vita.

E non contenti la facevano fare a quegli smidollati sognatori – Cornelio Azzarello pensava a Sasà in primis – che gli correvano appresso.

Anima Idea Etica Logica... tutte cavolate! – riguardo a questo pensiero, a questa considerazione, il Cataratta poteva dirsi tale e quale il Direttore didattico Azzarello.

Pure se lui non ce l'aveva il diploma, e nemmeno la licenza elementare.

Quando Cornelio – a capitolo chiuso – dopo la terrificante parentesi di Padova, pensava che lo aveva mantenuto a fior di quattrini, come un nababbo il suo Sasà al Continente – anche se di fatto i quattrini erano per buona parte quelli dell'invalidità di Carolina – quando pensava d'avere in qualche modo con l'unica debolezza di tutta una vita onorata di Direttore didattico procurato la pecora al lupo (la pecora era naturalmente Sasà, il lupo la friulana) l'intossico al cervello gli veniva.

Un cavallo pazzo gli attraversava le meningi, sí che le vene della testa sembravano lí lí per schizzar via, e, fattosi varco come potevano, attraverso le narici l'orecchio l'occhio, lasciarglielo secco imporrito acchiummàto, il cervello. Quel cervello ch'era stato il suo vanto.

Un patrimonio s'era mangiato Sasà a Padova e solo per imparare fesserie su fesserie.

In piú la testa gli s'era rivoltata, cambiata di sana pianta, e adesso pure a lui Sasà pretendeva di cambiargli la testa.

A lui, Azzarello Cornelio, Direttore didattico per concorso! Il che era come dire: cambiare tutta la geografia dell'universo, invertire i punti cardinali, i poli, l'equatore gli oceani i continenti ecc...

Ogni volta che tornava da Padova Sasà per Natale Pasqua ne sapeva una nuova.

Se la sparava subito, cento volte la diceva e se la crapuliava la testa a furia di ripetere la stessa cosa. (Era questa una delle cose che avrebbero impedito, in seguito, di ascrivere Sasà alla vecchiaia, anche quando vecchio lo era diventato, inconfutabilmente, per davvero. In quanto che, anche da ragazzo, ce l'aveva il vizio di ripetere la stessa cosa dieci cento mille volte).

Una volta era la *cultura mitteleuropea* (di cui si sentiva figlio pur nel suo esilio tra barbari sicelioti).

E giú a parlare straparlare di pensiero occidentale, d'antropocentrismo, d'ascisse e coordinate culturali, mentre la zia Carolina lo guardava sospettosa, timorosa, preoccupata sul serio, convinta che quel figliolo che già in paese giusto non era stato mai, in città s'era guastato proprio, aveva fatto il vermo al cervello in città.

Fare il vermo a Bulàla significava ammattire, dare i numeri, uscire di senno.

E la zia Carolina n'era convinta, soprattutto quando il padre di Sasà, Cornelio, sottovoce dopopranzo, le spiegava in due parole le metafore le prolusioni le orazioni i paradossi le tautologie di Sasà riguardo alla *cultura mitteleuropea*.

Il discorso si riduceva a quattro parole e pochissimi esempi chiari e lampanti. (Questo di buono ce l'aveva Cornelio, che quando voleva era chiaro come l'acqua del rubinetto).

– Carolí sta' attenta... ora te lo spiego. Quando Sasà parla di *cultura mitteleuropea* sta' tranquilla. Non è che *ha fatto il vermo*, un'altra cosa vuole dire. Vuole dire che noialtri non abbiamo il cesso in casa, e loro, quelli della cultura *mittellll*, ce l'hanno. Noialtri crediamo alla *fattura* (la fattura a Bulàla era il malocchio) e loro no, ci ridono quei coglioni. Noialtri, gli animali, quand'è sera, li chiudiamo in casa con noi, loro nella stalla. Le nostre femmine stanno a casa, stirano, lavano alla pilozza, fanno i capperi sotto sale, le melenzane sott'aceto. Fanno l'estratto di pomodoro per il sugo, l'uncinetto il tombolo il chiacchierino. Le loro, invece, vanno alla fabbrica, chiamano i diritti, non cucinano si pittano la faccia col rossetto, le unghie con lo smalto come le buttane di via delle Finanze, a Catania. E poi si prendono il caffè alla caffetteria, lassopra lo chiamano bar, in mezzo agli uomini. Comandano i camerieri, tengono il portafoglio come gli uomini, e guai a pipitiare per quei cornuti che se le maritano.

Carolina lo guardava *musca e pipa,* cioè dire zittazitta. Frastornata dalle spiegazioni di Cornelio.

Domande, Cornelio non ne voleva quando spiegava le cose.

Lui parlava una sola volta come la radio – precisava – e bisognava ascoltarlo con tanto d'orecchi.

Quando Cornelio diceva *loro* in contrapposizione a *noialtri*, Carolina pensava a quelli al di là dello Stretto di Messina, che per lei era il confine del mondo. Come dire le Colonne d'Ercole per Ulisse.

E poi che le sue conoscenze dell'Italia si fermavano a Reggio Calabria, pensava che *loro* si riferisse a quelli di Reggio.

Cornelio ch'era intelligente e aveva studiato per il concorso piú difficile, quello da Direttore didattico, l'Italia la conosceva tutta a memoria. Grazie anche all'atlante, al mappamondo, alle carte geografiche su scala che s'era preso dalla sua scuola elementare proprio come la carta igienica.

Cornelio pareva leggerli come su un libro aperto i pensieri di Carolina, le sue confuse conoscenze geografiche, e ne preveniva ogni quesito.

Ne correggeva ogni suo sbaglio, pure se la poveretta non apriva bocca.

– Piú su piú su devi salire Carolí... piú su assai... assai ti dico, in alto... piú ma non è cosa tua... Carolí levaci mano... non ne capisci di geografia... vedi Carolí la geografia è un fatto di talento d'intuito d'intelligenza pura... e tu... – diceva Cornelio alla cognata inseguendo con l'indice l'immaginario profilo d'una cartina geografica della penisola, dalla Sicilia al Veneto.

Aveva proprio ragione Cornelio a pensare che Carolina non ci capisse niente. Lei nella sua testa arrivava sino a Reggio Calabria, e là si fermava.

Pure se il dito di Cornelio non lo perdeva d'occhio un solo istante, sino alla fine del percorso immaginario – dal basso in alto – cosa c'era piú su di Reggio Calabria Carolina non lo sapeva proprio.

Montagne? mari? collinette? per lei era uguale. Non faceva differenza dal momento che non conosceva gli uni né le altre.

Cornelio Azzarello ne era arciconvinto che il figlio a Padova non glielo doveva mandare.

Ma quel ricatto **niente laurea!** non poteva mandarlo giú. Gli sforava la bocca dell'anima peggio dell'ulcera.

Perdere un occhio, al limite anche una mano, e diventare, cosí, *mugnu* – come li chiamavano a Bulàla – lo avrebbe in ultimo sopportato, patito.

Che il figlio, però, non prendesse la laurea: mai e poi mai. Non ci poteva pensare.

Anche se come laurea non serviva a niente – una vera cacata! – quella laurea in filosofia che aveva scelto Sasà, pur sempre laurea era.

E lui, infine, avrebbe potuto comunque dirlo che *il suo*

geniale Sasà si era laureato... e che fior di laurea! ... sissignori... testa ci voleva per quella laurea lí... e ancora *piripirrrrriii* andando avanti con simili fesserie.

Quindi aveva ingoiato il rospo Cornelio, dopo tre mesi di guerra fredda col figlio e in ultimo, a fine estate, aveva deciso.

Di mattina, alle cinque, col fresco, quando in strada non c'era anima viva, e lui pigliava fresco sul terrazzino ché l'acido non gli consentiva di dormire.

Voleva Padova Sasà? e lui lo accontentava. Padova Padova una buona volta per tutte.

Aveva cosí – Dio sa con quanto patimento! – accondisceso per Padova. Sasà sarebbe andato a Padova a studiare.

Agli altri, soprattutto agli itterici maestri jettatori della sua Cavour, invidiosi della sua posizione, del suo potere di Direttore didattico, Cornelio avrebbe fatto un bel discorso:

– A Padova il mio Sasà... lui sí che ci può andare a Padova col suo cervello di genio... gli altri si devono accontentare: Catania Palermo... scuolucce di paese altro che università!... e poi, quand'anche cosa ci dovrebbero fare a Padova, coi cervelletti da gallina che si ritrovano, certuni? A calcinculo li piglierebbero a Padova, a nettare cessi li manderebbero... ognuno conosce la sua roba ogni padre conosce la sua... santi e benedetti i denari per il mio Sasà...

E non contento Cornelio proseguiva:

– ... a Catania a Palermo li fanno dottori ingegneri con un canestro di fichi, i capretti da latte, il pecorino salato, i cavolicelli di campagna, la soppressata di maiale, il buccellato... a Padova invece un culo cosí sicuro **cosí!**... bisogna farsi ché là lo studio cosa seria è! non barzelletta...

Il discorso Cornelio ce l'aveva bell'e pronto. Ma valeva per gli altri ché quanto a lui l'Inferno aveva in testa, proprio le fiamme dell'Inferno.

Ah benedetto figliolo!... ah quali spine benedetto Sasà! Capriccioso, bizzoso, Sasà, come tutti i geni, e sennò che geni sono? – si chiedeva infine Cornelio come a confortarsene dei tormenti che gli procurava il suo Sasà.

Sí a Padova ci sarebbe andato Sasà, ma con Rorò, il figlio di suo fratello Antonino, che s'era diplomato – al magistrale però! – lo stesso anno di Sasà.

Rorò – cosí da bambino chiamavano Rolando – doveva essere in un certo senso l'occhio di Polifemo su Sasà.

Spiarlo, seguirlo, stargli alle costole, non perderlo d'occhio un istante, e riferire ogni cosa – una volta a settimana, se ce la faceva due – per lettera, con tutto ch'era sgrammaticato e ci voleva tutta la buona volontà d'un padre come Cornelio che non lo voleva perdere il figlio a capirci. A leggerci tra apostrofi di troppo – del tipo *al' lora an' dato*, tanto per citarne un paio – e sottrazioni continue d'ausiliari – *o detto a fatto* e via dicendo. E non era il peggio.

Rorò doveva riferire ogni cosa per filo e per segno, riguardo a Sasà.

Anche quelle che, lí per lí, a lui che era un cretino, potevano sembrare innocenti innocue.

Spiarli i movimenti di Sasà soprattutto in tema di femmine che, lassopra, a quanto se ne sapeva erano pròtiche con la faccia tosta. Buttane.

Non che lui ce l'avesse con le buttane: no! tant'è che ci portava Sasà, ma sempre sotto l'occhio suo, s'intende.

Cornelio ce l'aveva con le buttane a forma di santarelline che, tanto dicevano e tanto facevano, riuscivano a farsi sposare da siciliani o calabresi, quando si trovavano soli sperduti fuori dalla loro patria. In terra straniera, al Continente!

I picciotti arrivavano al Continente come pulcini appena nati. Ciechi con gli occhi chiusi. E ci pareva che il Continente era come il paese.

Camminavano senza guardare dove posava il piede: una

cazzicatummúla al primo fosso, e ci si ritrovavano dentro, acculati per bene.

Ora per non correre questi rischi col suo Sasà Cornelio doveva pagarlo quel cretino di Rorò, pure se il diploma gli aveva fatto avere grazie alla sua autorità!

Però in compenso tutto gli doveva far sapere:

– Scimunito! niente ci fa se sbagli l'acca e non ci metti l'apostrofo quando ci vuole... Rorò se succede qualcosa a Sasà il cuore tuo mi mangio... crudo me lo mangio... basta che ti fai leggere... basta che non scrivi minghiate, intesi? ehhhh? non facciamo che ti metti a fare la bella vita e ti scordi di Sasà...! ? euhmmm... bada che il diploma ti faccio ritirare e resti nel magazzino con tuo padre, a vendere vino all'ingrosso col tanfo di mucido che ti mangia sino l'*uccello*... già tu a quanto ce l'hai grande l'*uccello* te lo puoi permettere di perderne un poco... già sicuro... certo cosí lo sai che risate alla Piazza!

Rorò, quanto a rispondere, non era proprio mestiere suo. Aveva lo stesso intoppo di suo padre.

Solo che il sangue gli fumiàva dentro la testa, le mascelle gli si facevano rosse come il sangue fresco del mattatoio, e la collera gli scutuliàva il grasso sugli zigomi quando lo zio Cornelio ricominciava col discorso del capitale di Sasà.

Fosse stato vero! tutte balle, balle. Sasà aveva un inguinello meschino, ciampennante per giunta.

– Rorò bada che le corna ti rompo se non fai il tuo dovere – minacciava per l'ennesima volta Cornelio, sbatacchiando i pugni sul tavolino insajato nella sua pancia. Tutto mi devi scrivere. Che so? lo vedi preoccupato?... si guarda la **carruba** (sic a Bulàla il pene) sotto la luce sparata della lampadina? e tu in quel caso un telegramma mi devi mandare... (Cornelio pensava alla cresta di gallo, una malattia che colpiva la **carruba**, e che lui in gioventú s'era preso in un bordello di Palermo).

E andava avanti con gli esempi nottate intere mentre

Sasà, elegante nella camicia di seta inamidata dalla zia Carolina, l'occhio languido, seduto in piazza al caffè Bellavista, una bella granita di mandorle nel bicchiere, si godeva il fresco.

In lontananza si vedevano le lampare a mare tremoliare per l'inquieto amplesso dell'onda. Esitare come lucciole tra l'erba bagnata.

Se non era la granita di mandorle, era una bibita con lo sciroppo d'amarena, o una brioche alla francese.

Sasà, in attesa di partire per Padova, passava notti deliziose in Piazza godendosi il fresco di fine estate con altri maturati come lui, che a un certo punto, attorno alla mezzanotte, ronfavano con adenoidi grosse come olive, e il collo che gli cascava acciambellato sulla brioche.

Sasà, invece, che sonno non ne aveva, resisteva fresco come rosa aulentissima declamando versi di Cavalcanti e Ciullo d'Alcamo.

Tutta l'estate Cornelio aveva passata a dare istruzioni a Rorò. Col caldo che si soffocava.

Sasà mangiava molto? mangiava poco? dormiva molto? dormiva molto poco? sbatteva contro lo spigolo della porta? non ci sbatteva? usciva con le scarpe slacciate? aveva la stitichezza? aveva la diarrea? gridava di notte? faceva gli incubi? non ne faceva? si grattava la nuca? non se la grattava? gli si chiazzava il collo? gli restava candido? Ognuno di questi gesti che pur sembravano innocui agli occhi d'un sanapone cretino come suo nipote Rorò poteva diventare spia fatale essenziale vitale agli occhi d'un padre.

E lui, nella lontana Bulàla, leggendo e rileggendo sia pure attraverso le sgrammaticature di Rorò avrebbe pesato soppesato intuito valutato, a seconda, caso per caso se c'era da preoccuparsi.

Rorò e Sasà erano nati lo stesso giorno la stessa ora lo stesso mese e anno. Nella stessa casa. Quella del nonno Rolando, padre di Cornelio e Antonino.

Solo che Rorò era nato un secondo prima di Sasà. Proprio un secondo spaccato e per questo portava il nome del nonno *rubandolo al suo Sasà*, precisava Cornelio ogni volta che si sfiorava l'argomento.

Un nome importante, Rolando. Un nome glorioso solenne da poema, da paladini di Francia e, dopo tre giorni di bile perché non gli riusciva di trovarne uno di pari effetto, infine pensa e ripensa, per quel suo primo figlio maschio – sarebbe stato anche l'ultimo – aveva scelto l'unico nome che per solennità poteva tener testa a Rolando: Sauro.

Lo aveva provato e riprovato con mille intonazioni della voce. Ora acuta ora grave ora rauca ora implorante timida chioccia sussurrata chiassosa squarciata.

Sí era bello come nome Sauro. Non c'era proprio che dire. Restava, però, il fatto che non era Rolando.

Comunque fosse, il nome era fiero titanico. Né veniva intaccato dalla vocetta femminina della cognata Carolina.

Cornelio, anzi, aveva imposto a Carolina due ore estenuanti di pronuncia, con una palla di mollica in bocca grande quanto un mandarino a che ne contenesse le stecche gallinacee della voce.

Per poco Carolina, quella volta, non ci s'era strozzata con quel mandarino di mollica che dentro la sua bocca lievitando per lo schiumone di saliva era diventato quanto un'arancia di Scordia.

La mollica, assicurava Cornelio, serviva a dar corpo alla voce. E quella di Carolina era – a suo dire – piú miagolío piú schígghia che altro.

Quella di mettere Rorò alle costole di Sasà era parsa a Cornelio una bella pensata.

Eccellente, anzi. Anche se quel cannarozzo del nipote pretendeva una paga mensile di tutto rispetto, non tanto per fare lo spione a Sasà (quello gli piaceva, pronto a farlo gratis, lo spione, pur di prendersela qualche rivincita sul cugino che faceva il **filosofico**!), quanto per le sudate che gli costava scrivere quelle quattro righe sgrammaticate, piene di strafalcioni da asino qual era.

L'accordo, infine, era stato raggiunto. Rorò da Padova avrebbe fatto un resoconto perfetto di Sasà, per filo e per segno, e Cornelio con un po' di danari si sarebbe pagato la tranquillità.

Del resto questa era la massima di Cornelio da quando, nato Sasà, aveva dovuto metterne di pezze a tamponare i pasticci del suo adorato ragazzo incompreso in un paese di bufali, lui ch'era un genio di natura.

Cosa non fa un padre per un figlio!

Al tempo in cui Sasà e Rorò erano nati, Cornelio e suo fratello Antonino vivevano, con le rispettive mogli, in casa del padre.

Con Cornelio, oltre la moglie, viveva pure la cognata Carolina che un po' grazie al fatto che lenta di cervello lo era di madrenatura, ma soprattutto grazie alle sue amicizie, dichiarata invalida al 100 per cento, prendeva una buona pensione. Pensione che di regola finiva nelle finanze di Cornelio perché Cornelio sosteneva con fermezza che solo grazie a lui, ai suoi intrallazzi, le avevano assegnato un'invalidità del 100 per cento che a Bulàla avevano soltanto in due.

Uno ch'era nato con due teste e senza mani. E un altro

che non ci vedeva non parlava e non raggiungeva i settanta centimetri d'altezza, gambe comprese.

Gli invalidi di guerra massimo arrivavano al 70 per cento.

Questa era l'ennesima prova che Cornelio era, oltre che intelligente, potente a Bulàla. Uomo di rispetto.

Sasà e Rolando erano nati a un secondo l'uno dall'altro. Prima Rorò, dopo Sasà.

– E che! ? un secondo, uno solo è stato, non piú d'uno! che sarà mai un secondo? – giurava Cornelio che di quella nascita non s'era dato mai pace. Un secondo l'uno dall'altro. Solo che il suo Sasà era nato dopo.

Era stato un bel casino quella volta con quelle due che partorivano in due camere attigue. Solo una paretuccia di gesso fina fina in mezzo.

Urla strilli a destra e a manca. Fornelli a petrolio, a legna, per bollire catini d'acqua e quadàre di rame enormi. Quelle in cui d'estate ci bollivano le conserve di pomodoro per l'inverno.

E la levatrice che correva come una trottola dall'una partoriente all'altra, sebbene avesse l'ombelico di fuori grande come una noce, con un bel saccoccio d'ernia che le pendeva pesante quanto il sacchetto coi confetti nei matrimoni.

Le gambe corte appesantite, poi, insajavano completamente tra i costoloni di grasso della pancia.

Le donne erano entrambe al primo parto. Perciò bisognava controllarne le acque, la dilatazione, la posizione, il braccio, la testa del bambino.

Bisognava insegnargli questo quell'altro a che collaborassero, a che facessero in fretta perché lei col cuore affaticato che si ritrovava, ingrossato peggio del fegato, era sfinita già prima di cominciare, già alle prime doglie di quelle due.

Insomma quel tredici agosto del venticinque era stato un inferno.

I muri della casa, per quanto grandi, trasudavano tanfo di vino perché da basso, nel magazzino, c'erano le botti e la rivendita al minuto di Rolando Azzarello, suocero delle gravide.

L'aria del mezzogiorno rovesciava sulla casa, al primo piano, tizzoni ardenti.

L'afa faceva tale sudare l'ostetrica che tre lenzuoli a metà mattinata erano già finiti nella tinozza, e si potevano torcere.

Una torma di zanzare veniva dalla palude vicino al laghetto, sí che finestre e porte erano state sbarrate come a tempo di guerra. In rispetto all'igiene per il parto non si poteva tollerare quella ronda di zanzare e moschiglioni.

Il bimbo che fosse nato primo sarebbe stato in assoluto il primo nipote per Rolando Azzarello. Il primo per tutta la famiglia.

Ognuno dei due fratelli sperava in cuor suo un maschio per sé e una femmina per il fratello.

Se le grida a destra intensificavano di tono e durata – a destra partoriva la moglie di Antonino – Cornelio vi si precipitava pallido come la luna quand'è nuvolo col terrore che il figlio di suo fratello nascesse prima del suo.

Poi ripreso fiato – *falso allarme falso allarme! c'è tempo, c'è tempo!* assicurava la levatrice – tornava, pallidetto scontorti gli occhi, da sua moglie Tommasina e gettandosi ai piedi del letto implorava supplicava minacciava di far presto, presto e bene, meglio dell'altra.

Soprattutto, prima dell'altra, che a giudicare dagli strilli da bove sacrificato era lí lí per partorire.

La sua invece niente. Una tronza. Muta come un pesce. Non un grido, macché neanche un lamento.

Di gesso ce l'aveva le carni forse? non le si strappavano le viscere come a quell'altra di suo fratello che si squartava tutta dallo sforzo?

Ah cosa non avrebbe dato Cornelio per sentirla gridare a squarciagola Tommasina con gli occhi di fuori e la bava alla bocca!

Un grido da fare tremare i vetri, da farli rompere! Ma Tommasina niente. Muta muta neanche l'acqua chiedeva.

Ch'era cretina lo si capiva anche in quella circostanza. Di fronte alle minacce del marito, anziché spicciarsi, facendolo esplodere quel ventre immane, quelle inutili budella – come Cornelio le comandava già di prima mattina con l'ingurrío della voce, con la furia delle pupille limacciose – piangeva muta con occhi ignobili sfocati come i pesci morti quando tornano a galla.

Piangeva la cretina! mentre quell'altra le faceva le scarpe, la precedeva gridando come un toro scannato.

E poi niente... niente... solo lo guardava Tommasina con occhi sbarricati inzuarúti attrunzàti.

Occhiudicapra... rusicaossa... minnappirrugnàta... tisicancanna... cardacòri... mangiafèli, cosí la chiamava Cornelio sussurrando sottovoce come dicesse il rosario a denti stretti. A che non lo sentisse il fratello, a che non n'avesse certezza della sua disperazione della sua angoscia.

Tommasina, però – disperazione o no – continuava a starsene immobile, con la bocca cucita e l'occhio quieto come quello delle salamandre quando il sole le 'mbriaca... come se il conto non fosse suo... neanche per partorire era buona la scimuníta... non si sforzava... non lo cacciava fuori di botto quel moccioso a costo di squarciarcisi tutta e morirci dissanguata pur di fare presto presto prestoooo!!! E in ogni caso, prima dell'altra.

– Tempo perso Direttore Azzarello – gli diceva la levatrice – ... piú la guardate piú se la trattiene la pancia vostra moglie... Direttore pare che s'incantesima quando la guardate... non sarà che si vergogna nuda com'è dalla vita in giú...?

Quale vergogna? Quale? – pensava nella ridda infuocata dei suoi pensieri Cornelio, mentre con occhi minacciosi che parevano dire *ti scanno ti scanno scímia... se me lo fai dopo di quell'altra scimunita... anche un solo secondo dopo ah ti scanno quant'è vero Dio ti scanno...*

La guardava? E quando mai? E che ci doveva guardare poi? Schifo tutta faceva.

Le cosce ci doveva guardare? quelle cannappèndere, quei cipressi nel vialetto del camposanto? quei saliscendi arrugginiti?

Il *fiorellino* (Tommasina chiamava testualmente *fiorellino* i suoi genitali come le aveva insegnato la madre) ci doveva guardare? Quella favuzza sfatta che rischiava di farci morire i morti? che inabile lo avrebbe reso se, a compenso di quella sciagurata volta che gli toccava farlo il dovere, ogni millài (milleanni) – quando proprio non poteva farne a meno – non si fosse fatto tutte le bottane d'Agrigento Caltanissetta e Piazza Armerina sí da rianimarlo il suo nervo di maschio?

Cosa doveva guardarci in Tommasina? quel mostruoso pertugio vegliato da quattro peluzzi mansi mollacchi, preso d'alopecia a macchie come avveniva in qualche randagio?

Ci voleva faccia e coraggio a chiamarlo **fiorellino** – e lo scandiva Cornelio poi che non ci poteva pace – **f-i-o-r-e-l-l-i-n-o**, quella cisterna secca, quel sudario per vermi, quel lippo rosicato dai cani.

Ah! quanto valevano le bottane dei bordelli che partorivano nel tempo d'una pisciata.

Da sole sulla tazza del cesso e s'aiutavano con le mani a che il bambino non ci cadesse dentro, assieme allo sciacquone dell'acqua...

E dopo qualche ora, lavatesi col bicarbonato, amorevoli coi clienti come sempre, come niente fosse.

Questi erano stati i pensieri di Cornelio a fronte di quel cocomero che non voleva saperne di partorire quando ormai ci aveva perso le speranze che suo figlio nascesse per primo. Anche perché dalla stanza accanto grida e urla in sinfonia davano per imminente – questione d'una manciata di secondi – la nascita del figlio d'Antonino.

Pazienza! Ma l'avrebbe pagata amara quella verma di Tommasina, per cui non valeva nemmeno la pena di sprecarlo il maschile a chiamarla **verme**. No, **verma verma verma vermaccia**...

Aveva proprio ragione, a quel punto, Cornelio di crederla partita persa.

Passarono due o tre minuti e si sentí – almeno Cornelio sentí con l'ingigantimento che gli procurava la rabbia la delusione – un'esplosione. Sí, un'esplosione!

Come quando spaccano i palloni con un bel botto, nelle feste, se si riempiono troppo d'ossigeno e la pellicola scoppia in mille miserabili avanzi, tra i singhiozzi del moccioso che il suo pallone lo voleva *piú grosso piú grosso*.

E l'aria trema vibra trantolía per qualche secondo come se il mondo intero fosse scoppiato, non un miserabile palloncino...

Fatto sta che Cornelio dalla stanza dove giaceva placida Tommasina, dove lui giaceva rintanato per la vergogna, schiacciato dal suo fallimento, dalla vittoria immeritata di quel caprone ignorante di Antonino a cui quella nascita calava dritta dal cielo, senza un grammo di fatica né una goccia di sudore – l'avvertí quella nascita col frastorno di un'esplosione.

Forse che Antonino aveva messo il suo sviscerato impegno a farla partorire quella stupida che pure lesta era stata come le coniglie?

Forse che aveva rischiato il collasso come lui lo aveva inutilmente rischiato appresso a Tommasina?

Il sangue su e giú giú e su freddo caldo gelato a precipizio a torciglione incagliato aggrumato intoppato... e tutto per niente santiddio!

Ah sofferenza! Ah patimenti! Ah sciagura d'un poveruomo!

Lui li aveva patiti i dolori del parto, non quella mummia in specie di cristiana.

Per questo Cornelio considerava Sasà suo suo suoooo. Suo e di nessun altro. Solo e sempre suo.

La nascita di Rorò, il primogenito di Antonino, per il suo angosciato stato d'animo, Cornelio l'aveva avvertita come un'esplosione.

Certo parlare d'esplosione era esagerato. Anche se l'ultima doglia espulsiva di quell'altra – scema come la sua, ma almeno lesta a partorire e in piena regola con strilla pianti sudori e tutto il resto – era stata per cosí dire fragorosa irruenta.

Pure i vetri avevano tintinnato – a sentire Cornelio che ne moriva freddo di vergogna e invidia.

Forse però era il fuoco che Cornelio aveva in testa a esplodere come nitrato, mentre i vetri non c'entravano niente.

Per un secondo era stato silenzio. Silenzio assoluto. Tutto era cessato. Un silenzio irreale.

Non si sentivano piú pianti strepiti né le esortazioni i comandi della levatrice *piú forte da brava un fiatone resisti sputa il fiato...*

Né si sentiva il vagito del bambino come sarebbe stato logico. Fu una frazione di secondo nella quale, però, transitarono mille pensieri nella testa di Cornelio, la cui intelligenza era un fatto pienamente riconosciuto dalla famiglia Azzarello ad eccezione del fratello Antonino che scoppiava di bile, per via degli iniqui privilegi accordati a Cornelio, con la scusa ch'era intelligente. La mente della famiglia.

Che forse il bambino era nato morto? con il budello attorno al collo? quanti nascevano morti strozzati dal cordone ombelicale, con la faccia viola piú delle prugne settembrine!

In questo caso, se il bambino d'Antonino fosse nato morto – pensò Cornelio – non tutto era perso.

Una speranza si poteva ancora nutrire... perché morto il figlio di Antonino, il suo, nato secondo, di fatto primo sarebbe stato. Primo primoooo...

Oppure...

Si fece largo dapprima, poi varco, infine breccia un pensiero che veniva in suo soccorso – pensava Cornelio – come sant'Antonio a quelli che avevano la gotta, o i vermi dentro la pancia.

Il pensiero era questo: che fosse stata una finta gravidanza quella di sua cognata?

Quelle gravidanze che le enciclopedie mediche chiamavano isteriche?

Che poi tutto, in un attimo, si risolveva con uno scoppio d'aria dalla pancia gonfia come nelle gravide?

In questo caso ancora meglio!

Suo figlio – anche se quella rusicaòssa di nome Tommasina, là nel letto se ne stava quieta tranquilla senza spasimo di budella, senza scotoliamento di panza – sarebbe stato **primo**, **primo** a tutti gli effetti, **primo** di diritto!

Quanto a mettere in discussione il fatto che potesse nascergli una femmina Cornelio non ci pensava nemmeno lontanamente, un pensiero del tutto estraneo ai suoi pensieri. Assolutamente!

Il sogno di Cornelio ebbe vita brevissima, come tutti i sogni assai vagheggiati.

Interrotto da uno strillo di neonato cosí assordante vitale che fece – stavolta era proprio vero e non c'entrava per niente il cervello stravolto di Cornelio – tremare i vetri.

Poteva essere mai d'un bambino appena nato quell'urlo bestiale? da giungla?

Muti nascono i bambini, gli occhi ciechi come i gatti, e tutt'al piú un miagolio al posto della voce, uno 'nziríо da grilli – pensava Cornelio. – A un anno o due i mocciosi strillano tanto perché i polmoni gli si sono già allargati e la fontanella in testa s'è chiusa. Che poteva mai essere dunque?

Poteva mai essere... forse... ummhhhh?

L'interrogativo di Cornelio ebbe di lí a qualche secondo una risposta univoca che sgombrava il terreno da ogni ombra di dubbio.

Sí, poteva essere, e di fatto era era!

Nel senso che era nato, vivo e per primo, il figlio di Antonino né piú si potevano fare ipotesi o congetture, per quanto Cornelio a quel filino di speranza ci s'era attaccato come un polipo allo scoglio.

Era suo quell'urlo da carrettiere! di quel moccioso che se ne stava tra le mani della levatrice, scialaràto, grande come un maialetto con tanta sugna addosso. E tanta pelle rosa proprio come i maialini da latte.

Vivo e vegeto, e di tale colorito che giammai si potevano concepire dubbi riguardo alla sua sopravvivenza.

Quello schiattava di salute, e sembrava di tre mesi a quant'era lardicúso nelle cosce nel petto nelle braccia.

Lo guardò un attimo appena Cornelio, giusto prima che tutti, in primis il nonno, gli facessero cerchio a dirne meraviglie.

Diavolo! Era grosso tale che pareva di tre mesi, per questo era nato col botto!

Ce n'era voluta di pressione a che stanasse dalla pancia di sua madre. Una ranocchia di quelle che fanno le squame verdiglie attorno agli occhi.

Rorò continuava a strillare con la possanza d'un torello mentre lo lavavano nell'acqua calda con la spugna per grandi.

Solo un attimo gli riuscí di vederlo a Cornelio, ché subito i suoi occhi incrociarono quelli del fratello Antonino.

Vi lesse un tale trionfo, una tale jattanza in quelle pupille lariulíne indiavolate per la soddisfazione.

C'era un demonietto con corna aguzze in quegli occhi da stupido, da minchione di suo fratello Antonino, che pure, ci voleva coraggio! faceva la risatella, mentre quello spirito lazzarone dentro gli occhi pareva dire: rassegnati Cornelio... mettiti il cuore in pace... scia' (fiato mio)... per una volta sono arrivato prima io!... ora il nome Rolando spetta a me... a mio figlio ch'è nato prima del tuo... primaaaaa lo vuoi capire? sí o no???

E ancora quella lucetta intermittente maligna negli occhi d'Antonino, che in quell'attimo mostrava una cattiveria terribile, la piú feroce, in assoluto, quella dei minchioni di natura che sono tremendi quando la sorte gli dà spago, gli sorride – pensava sconsolato Cornelio allo stipite della porta.

Piú morto che vivo pur s'era grande possente nella figura. Ma pallido pallido e sudato freddo.

Antonino, invece, era mingherlino, di statura insignificante, né bello né brutto. La carnagione colore delle melenzane di scarto. L'occhio bruttino, spitrisciúto, la mandibola triangolare. Ma che figlio però! una meraviglia!

Eppure lui non poteva avercela con Antonino – si diceva Cornelio cercando inutilmente di convincersene. Con la ragione. Con i ragionamenti.

La colpa non era d'Antonino, anche se lo sfotteva con la risatella pur consapevole della sua sofferenza, ché Cornelio quella sofferenza scolpita in fronte ce l'aveva.

La faccia livida, i lineamenti stravolti angariati come uno che sia appena uscito di malaria.

La lingua poi gli s'era incatramata che non gli riusciva di schiodarla dal palato.

La colpa non era d'Antonino, però. Non c'entrava Antonino.

La colpa era unicamente di quella scimunita che se ne stava di là beata, con la pancia all'aria, e chissà! che forse non dormiva pure! Beata, al primo sonno, mentre l'altra, fiera d'averlo fatto per bene il suo dovere, si pigliava i complimenti di tutti, e il brodo di gallina.

La testa le doveva schiacciare col cuscino. Per tempo gliela doveva schiacciare, e prima o poi l'avrebbe fatto – pensava Cornelio col cervello infratito come un bruco.

Ora, però, Antonino esagerava con quei risolini. Troppo osava per essere uno che fesso c'era nato.

E che? gliela doveva fare ricordare la nascita del figlio? – pensava Cornelio col ringhio dei cani idrofobi dentro gli occhi. – Gliela doveva rinfrescare la memoria sul fatto che lui era un cretino universalmente riconosciuto? Che aveva ripetuto tre anni la terza elementare, e lí s'era fermato? Che il padre li manteneva, lui e la moglie, e ora anche il figlio, con la scusa che badava alla rivendita di vino e aceto? Che lui, Cornelio, era Direttore didattico a soli trentanove anni? e lui Antonino puzzava di vino e feccia? Che tutti i problemi (banca tasse...) il padre li affidava a lui? «Pensaci tu pensaci tu Cornelio che *sei studiato*» gli diceva. E lui ci pensava sempre e per bene. Nell'interesse della famiglia.

Testa ritta, passo solenne, i capelli spartiti in due sul cranio, bene insellati dietro le sventole degli orecchi tale grandi che lo riparavano per benino dai colpi d'aria, se d'improvviso saliva la brezzolina dal mare.

Cos'altro gli doveva ricordare ad Antonino per rinfrescargli la memoria? Di cose ce n'era un'infinità! ma poteva fargli l'elenco ogni volta? perderci tanto tempo, anche se di tempo oramai ne aveva quanto ne voleva?

Quella scema di Tommasina, attronzata nel letto, di là, poteva partorire col suo comodo oramai quando voleva, quando le diceva la testa, per quello che valeva... Anche fra tre giorni o quindici... non faceva differenza, non piú. Il suo figliolo sarebbe stato: secondo. Non primo com'egli aveva implorato.

Non erano passati due minuti (ma i due minuti di Cornelio si potevano paragonare ai duemila anni del gigante Encelàdo tanto e tale cardacío, subbuglio di pensieri, gli costernava le cervella) che Cornelio, gli occhi ad Antonino alla sua sfacciataggine da scemo col giummo, sentí un miagolío dal corridoio.

Pensò che fosse la gatta di Carolina, però la gatta era rimasta tutto il giorno nel terrazzino per via del parto delle due donne.

Forse era impressione. Le tempie gli scoppiavano, **bummmbumm bumm bummm** peggio d'un treno merci quando deraglia.

L'acido gli era arrivato sulla punta della lingua, in pizzinpizzo, e gliela scorticava piú della soda caustica.

Le pàpole – nel palato nella mucosa delle guance – non si contavano. Un'eruzione continua, peggio della varicella, peggio della stomatite purulenta.

Qualche altro secondo era passato, e si sentiva ancora una specie di lamento come quando dai nidi, sotto la grondaia, cadeva un passerino appena nato – con la carne rosella senza un pelo sí che faceva schifo a prenderlo in mano – e faceva *pio pio pio* fino a che moriva con la bava ricciolina sul becco schiuso.

Quando si era certi che fosse morto ci pensava Carolina con la paletta a levarlo dal terrazzino, e gettarlo nella secchia dell'immondizia. Poi metteva mano a pulire i broccoli per la cena.

Il *piopio* che sentiva Cornelio veniva dalla stanza di sua moglie, proprio lí accanto.

Cosa non vide Cornelio quando vi fu entrato! un tale spavento che a momenti un infarto si beccava e di sicuro ci restava secco. (Una giornata davvero memorabile quella).

Tra le cannappèndere di sua moglie (quelle che solitamente si chiamano cosce nelle femmine normali, cioè quelle femmine che hanno fianchi petto culo ecc...) giaceva una sagoma, una sembiante scura pelosigna accravunàta.

Aveva forma di passero appena nato – di quelli che al tempo della schiusa delle uova, ogni anno, in gran numero precipitavano dal nido sopra la grondaia sul terrazzo. Ciechi implumi con le ossa a vista, a mala pena riparate da una pelluccia tremolante – e facevano *piopio* proprio come i passeri neonati.

Cornelio, che pure per consenso universale era ritenuto intelligente, anzi intelligentissimo, ci mise un bel po' a capire che quella sagoma rannicchiata in forma di *piopio* era il frutto del parto stitico di Tommasina, ovvero Sasà.

E un altro tanto ci mise ad accettare l'idea che quella macchia di mostarda, quel niricúme di cèusa, quel budelletto attufato impeciato arrizzicanàto, all'altezza dell'inguine di Tommasina, fosse suo figlio, il suo primogenito. Nato un pelo di secondo dopo l'altro, il figlio d'Antonino. (Sí perché i due tre minuti da quel momento divennero per bocca di Cornelio: **un secondo**, uno e uno solo!)

La sciagurata, Tommasina, approfittando del parapiglia nella stanza accanto, dove l'altra scema partoriva, e del fatto d'esser sola, lo aveva partorito in un baleno.

L'aveva cacciato fuori a schizzo come un nocciolo di ciliegia, come quando una spina in un dito schizza via per la pressione d'una piccola noce di pus che la stana, infine.

Senza un lamento aveva partorito Tommasina. Senza un dolore. Niente di niente.

E che? del resto non l'aveva sempre sospettato Cornelio che quella scema non aveva sangue?

Proprio come non aveva petto né cervello né carne. Se per carne s'intendeva strappo squarcio vena ferita.

Nella stessa posizione di prima Tommasina lo guardava con occhi medesimi sparati nel vuoto.

Occhi dove niente si poteva leggere giacché – di questo Cornelio ne era arciconvinto – niente c'era, proprio niente, ad eccezione d'un poco di rossedine per la vellicazione delle ciglia puntute come spade.

Niente, neanche a volerci fantasticare a tutti i costi. Impresa inutile e sciagurata!

Da sola aveva partorito, Tommasina, mentre la levatrice stava ancora tenendo a testa in giú, per i piedi, Rorò su cui si sprecavano a fondospunnàto (senza limite) i commenti di tutti come davanti al Bambinello Gesú.

– Quant'è grosso... di cinque mesi sembra... sette chili almeno... che collo! quanto lardo... e quant'è biondo... a suo zio Cornelio assomiglia biondo come lui e con gli occhi celesti... un torello quel torace poi... la camicina l'ascella gli serra... non lo si può fasciare... quasi cammina a quant'è duro nelle gambette...

E infine, sopra tutti, s'affermava il commento del nonno che trapassava Cornelio peggio d'una sciabolata al centro del cuore.

– Che **capitale**! tutto suo nonno... e rideva compiaciuto di quel maschio monumento di virilità. (C'è da specificare che a Bulàla **capitale** era l'involto dell'inguine nel suo insieme, *ciolla* e testicoli compresi).

Allora proprio morto mi vogliono! – pensava Cornelio coi sudori freddi dell'agonia addosso e i dolori dell'infarto già alla spalla, al capizzo dell'omero.

Quelle parole riguardo al **capitale** del nipote appena nato minacciavano d'ucciderlo, Cornelio, che quest'ennesima virtú del moccioso – virtú che in assoluto a detta di Cornelio di suo padre di tutta Bulàla era la piú grande, la piú significativa per un uomo – non gli riusciva di mandar giú.

Troppo era quella del **capitale** per Cornelio. Troppo per il suo cuore già provato da una giornata d'inferno. Per il suo cuore già nella fatale morsa dell'infarto al ventricolo.

Un rospo era quella del **capitale**, e un rospo non si può ingoiare senza strozzarcisi – si diceva sottovoce Cornelio quasi a mo' di sostegno morale, visto che tutto gli andava storto, visto che tutte le pigne della pineta cadevano in testa a lui.

Che esagerazioni!... sette chili... balle al massimo quattro... di sette i vitelli nascono e ch'è? un vitello è? – e giú constatazioni riflessioni domande retoriche. Tutto a forza di pensiero ché la lingua Cornelio ce l'aveva ancora incatramata di brutto, inchiodata al palato.

E ancora... tutta questa sceneggiata perché è nato primo, perché quella scimunita s'è decisa solo adesso a farlo l'uovo, adesso che è fuori dall'incantesimo...

La scimunita – ovviamente – era Tommasina, sua moglie, che giaceva immobile come niente fosse, con occhi di bufala, del colore del cetriolo marcio.

Intanto Cornelio sudava freddo. Non sentiva piú caldo né afa. E neppure le zanzare acciambellate alla caviglia nuda, a sucargli il sangue. Non senza fatica visto che gli ultimi eventi glielo avevano congelato il sangue come una balata di ghiaccio.

Cornelio non riusciva nemmeno a chiamare la levatrice che sciacquava il figlio d'Antonino, tra l'estasi dei presenti, dentro l'acqua della vaschetta.

Cornelio, invece, impazziva pensando che nell'ammollo dell'acqua calda il **capitale** del moccioso rianimava.

La pelle lievitava gonfiava e i testicoli intostavano fieri tamagni spudorati, pieni come uova sode.

Il problema era suo – pensava Cornelio mentre che la lingua gli si informicoliava, segno che gli tornava il sangue e la parola.

La spina sua era, e non restavano che pochi secondi a cavarla.

Quella specie implume aveva ricominciato il *piopio* e si capiva quindi che non era morto, anche perché il budello pallido cinerino che lo legava alla madre cominciava ad agitarsi e, a quel che ne sapeva lui, bisognava targliarlo subito. Sennò c'era il rischio che la madre morisse (ma quello per Cornelio era piú una prospettiva che un rischio).

Il problema, il rompicapo un altro era. Come giustificarlo quel cosino implume, pelosetto come le pesche selvatiche divorate dai moschiglioni? quanto pesava? un chilo sí e no! Non un'oncia di piú.

E la pelle nera come le sorbe prese dalla peronospera? E quelle fessure d'occhi che parevano date col coltello, come si fa con le forme di pane mentre lievitano prima d'infornarle?

Non c'era una, una sola cosa che Cornelio potesse vantarne, o che gli altri potessero vantare di quella larvetta. Sia pure con tutta la buona volontà o la sfrontatezza di questo mondo.

Se almeno fosse nato per primo! Intanto avrebbe portato il nome del nonno: Rolando. Poi l'essere poco piú che un aborto poteva venire compensato dall'essere il primo nipote... ma invece!?... per un destino tragico maligno non c'era neanche quello... c'era solo una macchia nera, nera come lo spurgo delle lumache tra la segatura.

Forse però qualcosa si poteva tentare. Cornelio ebbe un lampo di genio. Gli occhi gli avvamparono come se tutta la lava del vulcano vi si fosse concentrata.

Prese a misura il suo mignolo e accostatolo al *cannolicchio* del bambino che dondolava sui testicoli vide che in proporzione al corpo piccino non c'era che dire.

Anzi era proprio grosso, e piú s'appigliava a quell'unico argumentum laudis piú gli accrescitivi sul **capitale** di quella creaturina, che ora principiava ad agitarsi dando chiari segni di vitalità, gli fiorivano a fior di labbra: *smisurato straordinario disumano gigantesco...*

Insomma, a dire di Cornelio, quel bambino era tutto cazzo, solo cazzo. E lui ne era felicissimo.

Se tutto intero il suo corpo pesava un chilo allora il **capitale** da solo ne pesava mezzo, se non sei etti, superando cosí, grazie a quel meraviglioso insperato argomento di stupore, il fatto che tutto il resto del suo figliolo si concentrava in quattro miserabili etti.

E che novità è questa? forse che gli occhi contano quanto il cazzzzo? no. Forse che il naso o le gambe? no.

Qualunque parte del corpo considerasse Cornelio la risposta era sempre: **NO NO** e poi **NOOOOO** niente contava quanto il **cccccazz**...

Quello era l'unico punto su cui fare leva. Un argomento magnifico che tagliava la testa al toro. E Cornelio, da buon padre, non se lo sarebbe lasciato sfuggire.

C'era solo da verificare se elogiando il **capitale** del suo figliolo non potesse anche, prendendo cosí due piccioni con una fava, svilire quello del nipote che strillava come una bestia al mattatoio.

Doveva solo, a tal fine, misurare – sempre col medesimo sistema del suo mignolo – l'appendice del figlio di Antonino.

Nella speranza di scoprirla piú piccola, anche di millimetri, solo qualche millimetro, ché poi la sua maestria oratoria avrebbe trasformato in centimetri.

Fino a convincerli tutti che il figlio d'Antonino, tutto sommato, in quella del **capitale**, che era a Bulàla la piú grande delle virtú, difettava un poco.

Come fare?

Cornelio, ora che la partita si rimetteva in discussione, sembrava rinato.

La lingua schiodata dal palato si preparava a nuovi agoni verbali, a nuove pugne, aiutata da un torrente di sputi che la spurgava meglio dell'olio di ricino.

Le orecchie s'erano tese di piú. A ventaglio, anzi a muscaloro.

Il cuore pompava sangue ch'era una meraviglia, per non parlare del fatto ch'era sparita ogni traccia di dolore al braccio. Dal capizzo del braccio.

Cornelio sentiva d'avere la partita di nuovo in pugno. Doveva solo giocare bene le sue carte, studiare con attenzione le ultime mosse. E lui, quanto a questo, sapeva d'essere uno stratega nato.

La prima mossa era di riuscire a restare da solo col moccioso di suo fratello, e sperare che non l'avessero ancora fasciato.

Tale agitazione era in Cornelio che credette d'avere perduto ogni nozione del tempo.

Diavolone! quanto tempo era passato?

In realtà pochi minuti, ma per il fuoco che aveva Cornelio alle meningi, anche ore potevano essere passate.

Per restare solo col moccioso d'Antonino e prendergli le misure del cazzo... non c'era che un sistema.

Farli uscire tutti, proprio tutti, dalla stanza dov'era Rorò – il moccioso d'Antonino – e concentrarli nella camera dov'era il suo figliolo, che di minuto in minuto acquistava vigore, rianimava nelle carnine, pigliava colore umano.

Le guance parevano meno pelose, la fronte meno raggrinzita.

Il naso del bambino principiava a staccarsi dalla mascella, insellandosi per suo conto ben bene sotto la fronte. Le gambe, poi, s'agitavano ch'era un piacere.

Forse anche sul peso si era sbagliato, mezzo chilo in piú doveva pesare, sicuro sicuro. O forse un chilo.

La verità era che grazie a quel punto di vantaggio, il **capitale** – unico ma speciale! – al suo primogenito Cornelio cominciava ad affezionarsi.

Di un'affezione che negli anni sarebbe diventata divorante devastante micidiale.

Tutto scompariva da un minuto all'altro vertiginosamente!

Le quattrossa, la pelle appirrognata infichita, gli occhietti a fettuccia. Tutto scompariva, a fronte di quell'insperato provvido **capitale** che ridava prestigio – il prestigio usurpato dall'ignobile moccioso d'Antonino – al suo Sasà.

Cornelio cominciava ad esserne orgoglioso del suo primogenito. Come suonava bene ai suoi orecchi grandi questa parola!

Anzi da quell'istante si può dire principiò la serie infinita d'offensive da parte di Cornelio – trabocchetti tranelli incursioni calunnie ammiccamenti – nel territorio nemico, rappresentato da Rorò, a vantaggio del suo Sasà. Ma:

Cosa non fa un padre per un figlio!

– È nato è nato è nato... – gridò con quanto fiato avesse in gola Cornelio, ora che la lingua gli scivolava meglio dell'olio sul palato. Ora che aveva ripreso animo.

E piú lo guardava quel mostriciattolo, piú lo trovava vispo vivace di buon colorito.

Il piano funzionava alla perfezione – non per niente era intelligente Cornelio.

Un attimo e la stanza fu piena. Ora il parapiglia s'era trasferito nella camera di sua moglie, Tommasina, attrunzàta dentr'al letto...

Persino la cognata era balzata di scatto, come niente, con l'utero che perdeva sangue, per la curiosità di vederlo il figlio di Cornelio. S'era maschio bello e grosso come il suo.

Pure se aveva appena partorito, con la placenta insanguinata che le cascava sulla coscia correva quell'asinaccia maligna.

Dello sforzo del parto non le restava che un minimo pallore sullo zigomo – di solito ce l'aveva rosso come il gozzo nei tacchini.

Un pallore pressappoco come quando andava al cesso per il bisogno grande e ci restava ore dopo una mangiata di carrube.

Anche la levatrice era accorsa per tagliare il cordone che legava il bimbo a Tommasina, lasciando Rorò, nudo e solo, in mezzo al letto, nell'altra stanza, che pisciava come lo sgriccio della fontana in Piazza.

Il piano funzionava a meraviglia... Non c'era nessuno in camera se non il bambino, che veramente doveva pesarli sette chili.

Enorme, una giogaja di grasso sott'al collo che pareva strutto.

Di sicuro sui nove anni avrebbe avuto il diabete – questa la diagnosi di Cornelio quando, a fronte di quel ben di Dio, ripensò al suo.

Magrino come fosse nato di sei mesi. E chissà che quella scimunita di Tommasina non si fosse sbagliata!

Ma ora quel moccioso con lui doveva vedersela. Altro che collo taurino doveva dimostrargli d'avere!

Ora sí! sí che si sarebbero fatti i conti, ora che non si trattava di fesserie: spalle braccia natiche.

Ora ben altro doveva possedere!

Cornelio accostò il suo mignolo destro all'inguine del bambino, per misurarglielo con la stessa misura che aveva usato per il suo.

A occhio e croce gli sembrava uguale.

Invece no. Felicità! Magnum gaudium!

Il mignolo diede a Cornelio conferma del suo sospetto, e con essa, la felicità. La Resurrezione.

Anche se in ragione di qualche millimetro, il suo primogenito ce l'aveva piú lungo piú vivo piú mariuòlo si poteva dire intelligente.

Se poi si teneva conto del rapporto col corpo secondo la scala capitale-peso, il capitale del nipote Rorò in relazione al maialetto che era, non era piú grande del pisello d'un beccaccino.

L'uccello, invece, che piú serviva a dare l'idea del sesso del suo figliolo Sasà, era il falco o lo sparviero.

Al settimo cielo per questa sospirata conferma che ridava onore privilegio al suo Sasà, Cornelio era rientrato nella stanza di Tommasina.

La levatrice col gozzo a pera che pescava tra i seni sudati aveva fatto il suo dovere: liberare il bambino da quella scimunita di Tommasina che l'attanagliava con le sue coscette grige dalla carne a squama come le triglie.

Del resto la circonferenza della coscia non superava quella d'una triglia quando ha in pancia le uova.

Nessuno fiatava davanti al figlio di Cornelio. Proprio nessuno. Nemmeno nonno Rolando, con tutto che Cornelio era il suo preferito.

E che c'era da dire?

Grosso non era, bello non era, biondo non era...

Ognuno dei presenti guardava sconsolato il bambino nella speranza di trovarvi un qualche motivo di stupore in quell'esserino che pareva partorito da una gatta randagia e con la rogna.

I capelli per esempio... macché! solo peluria aveva... una peluria nera.

Oppure gli occhi... ma neanche gli occhi offrivano appiglio... due occhiellini miserabili.

Cornelio si disse che toccava a lui e forte dell'imperativo *cosa non fa un padre per un figlio* cominciò sparato dal **capitale**:

– Quello che conta in un maschio non è quello che si vede, ma quello che non si vede a prima vista – esordí con quella parlata furfantesca, col tono di voce di chi la sa lunga.

Antonino che lo sapeva quant'era imbroglione lazzarone furfante Cornelio, al contrario di lui ch'era tutto d'un pezzo, senza riserve mentali, senza trabocchetti, pensò subito: **Qua si mette male**.

E aveva proprio ragione. Ne trovava conferma un attimo dopo con lo sviluppo dell'orazione del fratello, che in quel punto era appena alla fase dell'esordio. Cornelio era una volpe in tema di raggiro. A che non si pensasse ch'era cosa studiata, quella del **capitale**, per valorizzare il suo Sasà, proseguiva prendendola alla larga.

– Di grosso non è grosso il bambino... ma i grassi si ammalano e fanno il diabete già da bambini... i magri sono scattanti e tutto cervello... Nello sport? magri li vogliono... a dieta li tengono... s'è visto mai un campione grasso?... mai e poi mai... Chi lo veste meglio un doppiopetto: uno grasso o uno magro?... non si discute vero?

Antonino non lo sapeva dove Cornelio volesse arrivare con tutta quella tiritera.

Già faceva bile, però, e pensava che fosse proprio spudorato Cornelio a magnificare, sia pure in modo ambiguo, non diretto, con strani interrogativi e negazioni, quella cacca di rospo che solo le gambe dicevano appartenere alla razza umana.

Non sapeva, però, il povero Antonino che il peggio doveva ancora venire, di lí a un istante, a intossicargli l'orgoglio di padre, ad avvelenargli la felicità d'un attimo prima di fronte a quel suo figliolo, ch'era il trionfo della bellezza e della salute.

Era chiaro: Cornelio schiattava dall'invidia. Anche i muri lo capivano.

Il peggio arrivò col fragore del tuono quando prima non spara il lampo.

– Avete visto che **capitale** ha questo mio figliolo... questa sí! che è una gran dote di natura... mica nascono tutti con questa *lupara* qui.

Assieme alla parola lupara, che altro non era se non l'inguine del bambino, Cornelio, con gesto plateale, sollevò il panno che ne copriva i genitali, con gesto solenne del braccio, come paladino che sguaini la spada dal fodero.

Lo fece con tale eleganza ed epicità di gesti che il sesso del bambino a fronte del corpo mingherlino pareva davvero enorme. Raddoppiato.

Tutti ne rimasero imbambolati, come serpenti al suono del piffero. Narcotizzati, ma piú per un fatto di suggestione di teatralità.

Tanto bastava però a che Cornelio realizzasse il suo fine: ridare al figlio quel primato che il caso o meglio la scimunitaggine di Tommasina gli avevano negato.

L'altro era primo in ordine di tempo? e il suo lo sarebbe stato in ordine di cazzo, primo. Di testa, di cervello, d'intelligenza, di tutto.

Ora che li aveva tutti in pugno, gli occhi ipnotizzati sul sesso ignudo del suo Sasà, ora era tempo di rincarare la dose, di raddoppiare il fuoco – pensò a ragione Sasà.

– ... Uno ogni mille facciamo ogni centomila nasce cosí... che fortuna!... gli altri invece si devono accontentare d'un cosino piccolo come quello dei galletti, specie se sono grassi perché è cosa vecchia, si sa, *se c'è grasso non cresce nervo... il grasso se lo mangia il nervo... meglio magri...*

L'allusione al figlio d'Antonino era chiara evidente intollerabile. Una macchinazione bell'e buona, una calunnia da perdersi l'anima.

Che andava a fantasticare quel delinquente pur di far primeggiare il suo livido scarafaggio?!

Cosa non tramava quel farabutto – pensava inferocito Antonino – pur di sacrificare il suo figliolo ch'era nato per primo, e col vanto d'un sesso speciale... una mitragliatrice... tale che nonno Rolando, intorciniandosi al mignolo i baffetti rossicci crespolini, aveva detto soddisfatto compiaciuto *come a me come a me...*

Facciadicane facciadintàgghio! come osava calunniare l'onore del suo figliolo Rorò, vanto della razza Azzarello, nato primo?!

Tutta invidia, sicuro invidia... Perché Tommasina una larva di verme solitario gli aveva partorito, non un figlio!

Questa era la verità nuda e cruda. Era solo un fatto d'invidia.

Antonino lo sapeva benissimo che non era capace con la chiacchiera di sposare una causa pur giusta.

Come sapeva di non essere capace di dire due parole,

una appresso all'altra, e rischiava, a fronte della favella rutilante di Cornelio, di fare una figura meschina da imbecille. E si rodeva di non essersi preso il diploma, come il fratello.

Solo il loro padre, Rolando, poteva salvarlo, solo la sua saggezza la sua autorità il suo intervento in nome della giustizia poteva ristabilire equilibri e verità, mandati a farsi friggere da quel bandito di Cornelio.

Con gli occhi imploranti Antonino glielo fece capire a suo padre ch'era tempo d'intervenire, ch'era tempo di difenderlo il nipote nato primo, bello e grosso come un angelo. E suo padre intervenne.

Non l'avesse mai fatto!

Intervenne da carnefice del suo Rorò. A tutto favore di quel mostriciattolo che pareva vomitato da un'anguilla.

Intervenne in favore di chi gli faceva perdere l'unico punto di vantaggio di tutta una vita, nei confronti di Cornelio, che aveva avuto la meglio sempre, che aveva deciso – prepotente arrogantaccio – d'ogni cosa della famiglia.

E lo perdeva quell'unico vantaggio solo cinque minuti dopo averlo conquistato.

Non era giustizia quella! un'infamia era!

Anche suo padre si comportava da predone, da vero farabutto nei confronti della sua creatura appena nata, mascherando in modo ignobile la verità, aggrappandosi al piolo che gli offriva Cornelio, il suo preferito.

Tutte menzogne, fandonie, un imbroglio meschino ai danni d'un innocente: il suo Rorò.

Bello come una rosa di maggio, un bocciolo, che ora doveva soccombere innanzi a quel mostriciattolo appirrognato.

Un'ingiustizia bell'e buona, certo!

Però, per capire bene come stavano le cose, bisogna dire che anche il padre d'Antonino, Rolando, la pensava come il figlio Cornelio riguardo al suo Sasà.

Cosa non fa un padre per un figlio!

Cosa disse il vecchio? Due cose, una riguardo a Sasà, l'altra riguardo a Rorò.

Medesimo l'argomento: il **capitale**.

Riguardo a Sasà, il figlio di Cornelio, nonno Rolando disse testualmente:

– Ragione hai Cornelio... è uno sproposito questo tuo figliolo... una meraviglia della natura... fortunato sei stato figlio... proprio una fortuna tutto il paese lo saprà... con un **capitale** cosí!!!

Riguardo a Rorò che pure era nato per primo e portava il suo nome ci fu una ignobile frenata, una retromarcia:

– Giusto... normale... un capitale giusto... giusto... ha il bambino... però che spalle da scaricatore di porto! – dove giusto valeva per *cosí cosí mediocretto* se non peggio. Mentre Antonino voleva sentirsi dire *sproporzionato uno sconcerto uno spavento...*

E poi chi se ne fotteva delle spalle del bambino? si diceva masticando acido Antonino.

Erano grandi da scaricatore, erano cosí erano colí...

Del **capitale** voleva sentirli gli spropositi Antonino, altro che spalle!

Che c'entravano le spalle? I punti di vantaggio col cazzz... s'acquistavano, non con le spalle né coi piedi!

Il vecchio questo lo sapeva perfettamente, eppure si rimangiava tutto, con un voltafaccia spaventoso.

Pronto a vendersi l'anima, ad andarci con tutte le scarpe all'inferno.

Pronto a sacrificare insino la sua virilità il suo sesso che attimi prima aveva definito **tale e quale** a quello di suo nipote Rorò; sesso che ora diventava appena giusto, appena passabile.

Pronto a pestarlo sotto i piedi quel suo trionfo di mascolinità, che pure per tutta una vita aveva magnificato esaltato, trascinando in quello scempio, in quell'assassinio, il suo Rorò.

Un innocente appena nato che col marchio infamante della *normalità* avrebbe dovuto camparci tutta una vita! E Dio sa quale vita, a Bulàla!

Tutto in nome di Cornelio, profanazioni calunnie menzogne, pur di dare ragione al suo figlio preferito Cornelio.

Antonino non se ne dava pace, rischiava di diventarci pazzo. Pallido come la morte lui ch'era sempre colorito.

Possibile che il mondo si fosse rigirato sotto i suoi occhi da un attimo all'altro?

Ora stava su quel che prima era giú, e viceversa?

Il suo figliolo ora era solo bello grasso biondo, ma aveva perso la supremazia lo scettro l'impero del **capitale**.

Quell'impero purtroppo passava a Sasà che se lo sarebbe tenuto stretto strettissimo tutta la vita, pure s'era tutto un imbroglio.

Ma poi che lo sosteneva il nonno Rolando, non c'era da fiatare. Battaglia persa per sempre. Senza speranza alcuna di rivincita.

Rolando Azzarello, massima autorità della famiglia, aveva emesso la sentenza con un verdetto terribile iniquo fatale.

Il suo figliolo, Rorò, nato primo, di fatto da quel momento passava al secondo posto, come dire ultimo, come dire: **duedimazze**. Secondo in quello che piú contava sulla faccia della terra: la mascolinità, il **capitale**.

Quello per cui a Bulàla si facevano le graduatorie di merito.

Quello per cui ci si sfidava a duello sulla piazza, per cui ci si ammazzava, o comunque si faceva la scena.

Essere nato primo rispetto a Sasà non contava piú niente, non valeva nemmeno il fatto di portare il nome del nonno, Rolando.

Quel vuccazzaro di Cornelio con la sua parlantina da furfante l'aveva avuta vinta.

Quanto poi al concorso di Direttore didattico che ogni due e tre tirava fuori, lo sapeva benissimo Antonino come se l'era procurato, o meglio come suo padre – Rolando-Giuda – glielo aveva procurato.

Una botte grande di vino, la piú grande tra quelle del magazzino, c'era andata di mezzo!

Questi i pensieri d'Antonino che, sbiancato in viso come cera, giú da basso riapriva la rivendita di vino al minuto. Erano pressappoco le cinque del pomeriggio di quel fatidico sciagurato tredici agosto.

Il giorno s'era ormai consumato e il cielo sfrattava l'ultimo sbavo di luce, mentre sul campanile un corteggio di rondoni dicevano prossima la sera.

Sasà Azzarello era arrivato alla Villa Regina Margherita alle sei e tre quarti in punto, quella sera di giugno. Il quindici giugno.

Fece attenzione, lui ch'era sbadato di natura, nel varcare la cerniera su cui scorreva la cancellata, a che non v'inciampasse, per un qualche accidente, la carrozzina su cui giaceva Rorò, suo cugino Rorò.

Era stato pitturato di fresco il cancello, dopo ventanni almeno.

Ma era stato pitturato sulla ruggine antica, che vi covava di sotto tormentando la nuova vernice con sboffi qua e là color tabacco che parevano bruciature.

Già tre volte – le sere prima – a causa di quel dannatissimo cancello nuovo che correva avanti e indietro su un binario il povero Rorò aveva corso il rischio d'essere schizzato in aria come un sasso dalla fionda.

Rorò era in carrozzina già da dieci anni, ma solo da cinque dopo il terzo colpetto in testa – ictus lo chiamavano i dottori dell'ospedale – non parlava piú. Muto.

Non dava alcun segno di vita, se non in un defluvio perenne di bave che canalandosi all'angolo destro della bocca, superata la giogaja di grasso del collo – tale e quale alla nascita – si raccoglievano in un bozzoletto trasparente lucido come quello dei bachi da seta.

Poi l'aria lo quagliava sicché a un certo punto, quando raggiungeva le dimensioni d'una noce, nel giro di qualche ora, da sé spontaneamente precipitava a terra lasciando spazio a nuove bave.

Il mento di Rorò, all'angolo della bocca dove la saliva piú aggramignava, aveva un solco grande quanto un mignolo.

La carne era tale consunta tale arrusicàta che se ne intuiva chiaro l'osso.

Certe volte quando il bozzoletto delle bave non ce la faceva a staccarsi da sé, ci pensava Sasà con una piccola pressione tra pollice e indice, nel punto in cui la bava, superato il precipizio del mento, era un filino esile esile e lo gettava via. Per strada o alla Villa. Sulle basole o sul terriccio.

Se poi capitava che il bozzoletto di bava finisse sotto il sole luccicava come cocci di vetraglia.

Che cosa strana la vita! – si diceva Sasà!

Se non sapessi ch'è bava lo direi bello questo bozzolo lucente, leggiero come le ali degli angeli.

Bello come le nuvolette ciondolanti in virtú della brezza di mare. Una meraviglia di natura.

E al momento di gettarlo via il bozzolino argentato, Sasà aveva un'esitazione, un piccolo tuffo al cuore, una spina, specie se il sole vi creava l'incantesimo dell'arcobaleno.

La natura m'ha dato un corpo d'uomo – braccia naso orecchi petto – e una sensibilità d'arcangelo: bello scherzo! si diceva Sasà, ora che a settantanni un bilancio della sua vita poteva farlo.

Senza le pernacchie di quando vi pontificava già a venti in Piazza, dopo aver provato e riprovato davanti allo specchio, con un teschio di plastica nella sinistra. Di quelli che vendevano a Carnevale.

La vita? l'uomo? il sogno d'un'ombra... quando si sarà oscurato... il breve raggio... una lunga eterna notte ci toccherà dormire... creature d'un giorno che cosa noi siamo? che cosa non siamo?

Questi erano i suoi cavalli di battaglia oltre che via via

che andava avanti negli studi l'*illagrimata speme... la fatal quiete... la natura matrigna... lo spirto guerrier...*

Rorò era stato sempre presente o quasi alle declamazioni di suo cugino Sasà che se lo portava dietro un po' per spalla, un po' perché, grosso com'era, gli poteva schivare qualche pedata in culo se la sparava grossa.

Quest'ultimo era un serio pericolo per Sasà che spesso rischiava di prendere pedate in culo.

Specie quando qualcuno alla Piazza aveva la luna storta e glielo diceva – una volta due tre – di finirsela con quelle cazzate. E lui niente. Orecchie da mercante.

A quel punto, poi che non ci voleva sentire, erano pedate. Che pedate! Tali azzampate che potevano sfondargli le natiche.

In genere, però, le fesserie che diceva Sasà suscitavano due tipi di reazione a seconda del luogo ove venivano declamate, che era di fondamentale importanza.

Se declamava in Piazza dai tavolini del caffè davanti a un pubblico giovane, erano risate pernacchie complimenti ovazioni e sfottò:

– ... Bravo! un poeta... ancora bis!... un poeta.

Oppure:

– Va' a farti fottere!... sparisci... levati dai piedi non ci rompere la minchhhh...

E ancora:

– ... È che questo ha bisogno di femmine... altro che!... a femmine ce lo dobbiamo portare cosí ci passa la fantasia... quella del **capitale** una balla è... di sicuro suo padre l'ha messa in giro... una balla sicuro perché, se ce l'avesse per come si dice, aria fritta non ne farebbe... mentre lui *cosa è un uomo?* domanda, non cos'è una femmina... come sarebbe logico...

– Che sia frocio ricchione... alle volte? – suggeriva un altro.

Quando s'arrivava alla domanda *che sia frocio?* era una vera gioia per Rorò. Una goduria che veniva a ristabilire giustizia a fronte dell'ignobile calunnia, del torto che lui aveva dovuto subire per colpa di Sasà.

Ah! com'era bello!

Che soddisfazione! sentire dubbi sulla tanto declamata falsa mascolinità di Sasà. Sul millantato **capitale** del cugino.

E in Piazza per giunta, dove tutti potevano ascoltare.

Un vero risarcimento per il torto subito appena nato. Tutta la tiritera Rorò la sapeva da sempre; mille volte glielʼaveva raccontata suo padre che mai e poi mai s'era rassegnato al fatto che proprio nonno Rolando avesse fatto il Giuda.

Il dubbio sulla eccezionalità del **capitale** di Sasà saziava Rorò piú dei maccheroni col sugo di maiale, sebbene i maccheroni col sugo di maiale fossero il suo piatto preferito.

Quando si dice piatto si fa per dire, non bisogna prendere alla lettera: ché di maccheroni Rorò se ne strafogava quattro o cinque scodelle piene piene tracimanti.

Era un bestione, e crescendo aveva mantenuto le proporzioni di quando era nato. (Solo che diabete non ne aveva avuto secondo le velenose profezie dello zio Cornelio).

Certo, pure se erano balle, tuttavia in paese si sapeva del sesso di Sasà. Circolava voce che fosse fuori norma, piú da mulo che da cristiano.

E già questo era piú che sufficiente a fargli guastare il sangue a Rorò.

Che fossero tutte balle, solo balle, lui ne era arciconvinto. Il problema era se anche gli altri ne avessero pari certezza.

Il dubbio restava pur sempre. A vantaggio di quel cretino contafrottole teatrante sminchiato di Sasà.

Per questo Rorò tornava a rodersi le ossa, se pure un attimo prima s'era sentito al settimo cielo.

Dall'esaltazione alla disperazione, dalla soddisfazione alla disfatta. L'una e l'altra. Anche lui in un certo senso come Sasà.

Addirittura c'era un partito a Bulàla riguardo al cazzo... di Sasà che avanzava l'ipotesi del *ruppo*.

Il *ruppo* a Bulàla era il nodo: nodo d'una fune d'un laccio d'una corda ecc... insomma un nodo.

Il partito del *ruppo* sosteneva che, a quanto ce l'aveva lungo, Sasà doveva farci una girata di nodo, o anche due, per accorciarne l'ingombro e accanzarlo dentro le mutande, a che non gli scendesse dai pantaloni sino al calzino.

Poi per le solite esagerazioni – si sa – si finiva col dire che di nodi al suo sesso Sasà gliene faceva quattro, se non addirittura cinque!

Il fatto restava un mistero in quanto che proprio il Direttore Azzarello col suo ambiguo atteggiamento metteva in un certo senso legna sul fuoco.

Non che confermasse con un bel *sí*, o smentisse con un secco no.

Niente di tutto questo. Cornelio Azzarello ci faceva, invece, la risatina sotto quei cespuglietti rossi svirgolati all'estremità, che invano tentava d'ammansire con una noce di brillantina.

I suoi baffetti erano malandrini, e i peli rizzi sparavano fuori dalla brillantina a lariulí.

Poi alzava il sopracciglio sinistro fino all'attaccatura dei capelli, si faceva un presa di tabacco dalla tabacchiera d'argento, e soprattutto – questo era l'indizio piú cospicuo – un sospiro lungo come il raglio degli asini alla luna piena.

– Troppo volete sapere... provvidenze della natura sono... e mica siamo tutti uguali... anche i nasi sono diversi figuriamoci! certi segreti si mantengono... certo l'orgoglio d'un padre... tutti li vorrebbero certi figlioli... con certi...

E si fermava a mezz'aria, sul piú bello senza specificare quali caratteristiche avessero *certi figlioli* che altri non avevano.

Cosí Cornelio Azzarello rispondeva alle allusioni circa il nodo (o meglio i nodi) del cccazzz... del suo adorato Sasà.

Apparentemente svicolava, sfuggiva alle domande.

Nella sostanza un retore espertissimo, un sofista nato e quel suo *sidicenonsidice* era la tanica di benzina sul fuoco.

Cornelio Azzarello lo sapeva assai bene come valorizzare il figlio Sasà – eccome se lo sapeva!

Per disgrazia di sorte aveva avuto come madre una scimunita, ma per provvidenza celeste un padre speciale come pochi.

Un padre intelligente, sulla sua intelligenza non c'erano mai stati dubbi, come non ce n'erano sulla stupidità di suo fratello Antonino.

E, considerato che buon sangue non mente, medesima sorte era toccata ai due cugini.

Intelligente l'uno, ovviamente Sasà, cretino l'altro, ovviamente Rorò.

La rabbia era che nessuno meglio di Rorò lo sapeva che erano tutte balle riguardo al coso di suo cugino, che comunissimo ce l'aveva, una cima di rapa. Niente di piú.

Non perché gliel'avesse visto; mai era riuscito a beccarlo col coso in mano mentre pisciava, perché lo zio Cornelio gliela aveva fatta la predica al figlio mille volte quando giocavano insieme d'estate, di nascosto, ma lui origliando l'aveva sentito:

– Sasà se proprio ti scappa pisciati addosso... intesi Sasà? addosso dentro i pantaloni.

C'era di piú. Quando Sasà aveva compiuto l'anno, in tutta fretta, bagagli e bagaglini al seguito, compresa la zia Carolina, Cornelio Azzarello aveva traslocato dalla casa del nonno Rolando in una casa d'affitto vicino alla Piazza.

La scusa era stata che era tempo che la sua famiglia avesse una sua intimità, che anche la pedagogia e la psicologia lo dicevano chiaro.

Di fronte a quelle parole *pedagogia pisssicologia*, che gli cadevano come un macigno sulla testa, nonno Rolando s'era arreso al figlio Cornelio, e calando le corna – come si usava dire a Bulàla – aveva acconsentito al trasloco.

La verità sul cambiamento di casa era un'altra: riguardava Sasà che all'epoca del trasloco aveva un anno giusto giusto.

Sasà aveva gli occhi dello zio Antonino e di sua moglie puntati addosso, giorno e notte, come zecche perché non l'avevano digerito il torto fatto al loro figliolo.

Covavano veleno quei due, aspettando il tempo della vendetta che, presto o tardi, sarebbe di sicuro arrivato.

Questo Cornelio lo sapeva benissimo, come sapeva che lui sarebbe intervenuto in anticipo, fregandoli sul tempo, prima che la verità sul **capitale** del suo Sasà fosse chiara a tutti.

E che ci voleva a fregarlo un bambino innocente in giro per casa mentre che arrancava a quattro zampe?

Per quanto Cornelio ci stesse attento, per quanto lui personalmente provvedesse ai bisogni del bambino, lasciando ogni due ore la scuola, capitava pur sempre mentre gli si cambiava il panno, o faceva la popò sul vaso, o gli si metteva la supposta, che quei due corvacci riuscissero in qualche modo con occhiacci sparvieri a spiarne l'inguine.

Un attimo appena, era questione d'un attimo, giacché subito Cornelio gli faceva scudo col proprio corpo al suo Sasà.

Gli si gettava letteralmente addosso, a non farglielo vedere il sesso, che cresceva mediamente – se non scarsamente – in relazione al fatto che era mingherlino di costituzione.

Mentre l'altro, Rorò, un gigante, proprio un gigante biondo e pieno di ricci.

Tant'è vero che non poche volte Cornelio Azzarello per coprirlo mentre pisciava s'era inzaccherato di piscio camicia e canottiera.

Ma: *Cosa non fa un padre per un figlio!*, e forte di questo imperativo tollerava anche il piscio pure se gli bagnava i capelli e i baffetti rossi, insellati sul labbro superiore.

Cornelio Azzarello era un uomo imponente alto massiccio con un'unica disgrazia: quattro peli in testa, ricci, e per di piú grassi.

Li allungava, li dosava, li cotonava a che in qualche modo non si vedesse la tigna.

Ci passava ore a rassettarseli davanti allo specchio, con la riga in mezzo, in due ciuffi che sgrillavano da dietro le orecchie.

Poi, però, bastava un colpetto di vento, e il disastro era assicurato.

In un attimo se li ritrovava sull'occhio, dentro la minestra, perché sí erano quattro peli, ma lunghi a che potesse farci due tre girate e coprircisi il cranio, alla bellemeglio.

Nudo, infatti, il suo cranio era proprio sconcio con quella trapuntina d'ossi aguzzi.

Allora Cornelio, ch'era intelligente, aveva escogitato questo trucco che valeva giusto ad ingannare l'occhio. Con la pomata per verniciare le scarpe color testadituro e un batuffolo di cotone si ripassava tutta la testa, almeno a scurirla quella pellaccia sottile rosella pallido. Cosí che a distanza, anche se c'era vento e i quattro capelli facevano le bizze, lui ci salvava la faccia. Con la calotta colorata scura.

Quella calvizie sconsolata lo metteva in croce, Cornelio, per non parlare delle malelingue che chissà! quanto ci ridevano dei suoi quattri peli. Ma era invidia, tutta invidia.

Cornelio, però, anche questo aveva escogitato – un vulcano quanto a idee – per non farsi sfottere a causa della calvizie, ottenendone viceversa un vantaggio...

– I capelli li perde chi si dà da fare... certo se madre natura l'ha favorito al posto giusto quello che piú conta in un uomo... c'è chi può e chi non può... le *cariche* se li mangiano i capelli ma quando si perdono per **quello** è una benedizione...

Le *cariche* erano quelle dell'amplesso, ovviamente, e l'avere perso i capelli per una buona causa – chi poteva dire di no ? – gli faceva onore.

Suo fratello Antonino, che intelligente non era, aveva la testa liscia e tonda peggio d'un cocomero, neanche un accidenti di capello, e diceva ch'era colpa del diabete, oppure perché da ragazzo si lavava i capelli col sapone a scaglie per il bucato.

La testa gli si era riempita di croste, di piaghe, e poi, a poco a poco, li aveva persi i capelli. Ogni mattina un ciuffetto sul cuscino.

Era una di quelle seratine di giugno in cui pareva di poterlo acciuffare per un dito il cielo col suo strapiombo di luce bluviola come le genziane, e il suo frutteto di rondini.

Ormai Rorò era al sicuro sulla carrozzella. Trattenuto in vita da un cinghia che assicurava il corpo abbandonato per via della malattia che glieli aveva mangiati i nervi, infuriandovi come le tarme col mobilio dentro le case abbandonate.

Era una di quelle sere in cui il cielo pareva dovesse andare incontro al mattino invece che alla notte.

Una di quelle sere in cui Sasà pensava che bastasse un soffio del suo petto per spingerla la corolla di nuvolette a un palmo dal suo naso, se solo alzava la testa.

Ma ormai che aveva passato la settantina questi pensieri se li teneva per sé. Al massimo ne parlava solo con Rorò, se non c'era il Cataratta, mentre spingeva la carrozzina dopo avergli levato dal petto – sennò gli faceva umido ai polmoni – l'ennesimo bozzolino di bava.

Guai! questi pensieri a pronunciarli davanti al Cataratta o al Pinna.

Sarebbero stati sfottò e minacce d'ogni tipo, come – era la minaccia che piú lo atterriva – quella di lasciarlo solo alla Villa, solo con Rorò nella carrozzina.

Ma Rorò c'era e non c'era, per lo piú con gli occhi chiusi che a mala pena pigliavano la luce delle stelle quand'era sereno.

Dormiva? e chi poteva dirlo se dormiva Rorò o se era

la malattia quel torpore che lo esiliava dalla vita, dal mondo coi suoi rumori e il suo frastorno. Quel cancello di rovi e spine invalicabile per chicchessia.

Qualche volta Rorò apriva gli occhi, uno spiraglio. Bastava uno scossone alla carrozzina a che le palpebre calassero di botto, proprio come le saracinesche quando si rompono le cinghie. E lui ne restava dentro prigioniero in un buio disperante sconfinato.

Quei suoi occhioni celesti sbiaditi acquosi, che tanta impressione avevano destato a Padova – li credevano neri impeciati, a Padova, i siciliani – quando Rorò c'era arrivato al seguito di Sasà con funzione di spia, scomparivano addietro un telo di pelle rossiccia come un budello di maiale.

La sentivano la prigionia gli occhi di Rorò che, da giovine, luccichiavano come le stelle a mezzanotte, d'estate.

Questa era una domanda che Sasà si faceva spesso, pure se quelle carni incustodite sulla carrozzina, per lo piú sfatte, ignare di se medesime, sembravano solo in attesa della morte.

La testa ciondolava sul collo e poi, di colpo, strapiombava giú sino al petto.

Sasà ad evitare che la faccia di Rorò diventasse rossa come il sanguinaccio, subito gli sollevava la testa. Con tutt'e due le mani.

E poi sulla testa, nuda come quand'era nato, senza l'ombra d'un pelo, Sasà ci lasciava una carezza grande grande. Pure se le sue mani s'erano fatte, negli ultimi anni, piccine piccine.

In giro non c'era nessuno, quella sera alla Villa. Nessuno almeno di quelli che Sasà cercava che poi erano tre, il Cataratta il Pinna il Bronzino.

L'Ammazzapreti non era fisso. Si faceva vedere ogni tanto, a seconda di come gli andava la gotta o l'artrite.

Com'era possibile che non ci fosse nessuno di quei tre alla Villa? – si chiese Sasà.

Poi d'improvviso pensò ch'era santo Vito, e dall'altra parte del paese c'era festa col palco e i cantanti.

Di sicuro quei tre erano là. A lui invece non piacevano i cantanti. Dante gli piaceva, Paolo e Francesca, e l'*Infinito* del Leopardi.

Ecco! quella era la sera buona! – pensò rallegrandosene Sasà negli occhi, che in vecchiaia s'erano rimpiccioliti sempre piú. Una puntina di spillo appena, che solo una grande pozza di luce riusciva a illuminare.

Era la serata buona per andarsene, finalmente, a sedere sotto l'albero di Giuda, su quella panchina sempre deserta anche quando, tra le sette e le nove di sera, d'estate, la Villa scoppiava di mocciosi mamme e vecchi.

Mai nessuno voleva starci sotto l'albero di Giuda, quell'albero gigantesco con pennacchi arancione che parevano uccellacci o aquiloni, a seconda del punto di fioritura.

Dicevano a Bulàla che portava male l'albero di Giuda, e tutto perché trentanni prima ci s'era impiccato Candeloro Pisanò, professore in filosofia al liceo classico, collega di Sasà.

Era tutta superstizione. Fatto sta che l'albero se ne stava sempre da solo.

Un po' incarognito forse per le ignobili dicerie, ma rigoglioso come nessun altro, nemmeno il ficus a ovest che aveva centanni almeno, e foglie grandi quanto il pane fatto in casa.

Le madri, per via che l'albero di Giuda portava male, non ci facevano salire i mocciosi, e i ragazzini piú grandicelli non ne incidevano la corteccia a sgranarne la fitta tramatura delle vene.

Nessuno ci pisciava allato al tronco, come invece succedeva con tutti gli altri alberi della Villa, che crescevano rachitici attufiti, con certi rami che parevano sterpi e certe foglie che parevano affatturate dal malocchio.

Sasà si chinò un attimo sul cugino Rorò. La bava colava ancora per lo spacco grande non poco ulcerato della bocca. Colava piano però.

Gli occhi di Rorò erano ancora reclusi sotto il telo di pelle trapunto di capillari.

Quegli occhi chiarichiari squagliúsi come gli angeli di zucchero per la festa quando si scioglievano tra le mani accaldate tritrigne dei bambini.

Chiari come l'aria quando inazzurra lieve di prima mattina, tra i picchi dorati dell'alba.

Sasà Azzarello già da quando aveva ventanni, a Padova, formulava progetti di suicidio. Progetti che poi, miseramente, fallivano, perché non lo trovava il coraggio d'ammazzarsi.

Che coraggio ci voleva! un cuore d'elefante ci voleva! Mentre lui, in fondo in fondo, sapeva d'avere un cuore di palombella, di passerino.

Lo dimostrava anche l'affetto che aveva per Rorò. Infatti ogni sera, con ogni tempo, se lo portava fuori dal ricovero in carrozzina e spingi spingi sí che quasi il fiato gli mancava – quel mozziconcino di fiato che bastava a tenerlo in vita – specie se c'erano le basole arrivava alla Villa con gli occhi che gli scomparivano del tutto per la stanchezza, sprofondati dietro le palpebre marroncine.

E che? forse che la filosofia lo insegna il coraggio? – si domandava retoricamente Sasà da almeno cinquantanni.

No! nient'affatto! La filosofia è un'altra cosa, col coraggio non ha niente a che spartire.

Quella è una questione di testa, quest'altra una questione di cuore – concludeva Sasà ora che per via dell'età anche le sue ostentazioni declamatorie avevano subito un bel calo.

Stringersi una corda grossa, da pescatori, al collo e penzolarvi tra i pennacchi arancione dell'albero di Giuda che gli strofinavano sul naso, era per Sasà Azzarello, sicuramente, una questione di cuore.

Il suo cuore si doveva convincere riguardo al suicidio, poi che la sua testa n'era convinta, arciconvinta, già da cinquantanni.

Per questo Sasà, quando poteva, andava di corsa a sedersi sotto l'albero di Giuda, coi pennacchi stravolti che infeudavano dove capitava. Nel suo collo, nelle narici, e lo facevano starnutire come al tempo del fieno.

Se voleva trovarlo il coraggio d'ammazzarsi, doveva affezionarcisi all'albero di Giuda. Entrare in intimità con quel gigante che, dietro al chiosco, dalla parte dello strapiombo, ingoiava uno squarcio grande di cielo con quei pennacchi che avevano un che di terribile, pure s'erano di colore allegro festoso.

Sasà Azzarello pensava che ci doveva fare l'abitudine all'idea d'impiccarsi, che era solo un fatto d'abitudine.

E lui riguardo allo strapotere delle abitudini era un maestro.

Che forse non s'era abituato anche a quella tragedia della sua vita ch'era stata Maddalenina, sua moglie?

E a questo punto Sasà riprendeva il vezzo della commiserazione di se medesimo che, affiochita negli anni, mai s'era spenta del tutto.

Non s'era abituato ai suoi comandi? alla sua voce rasposa? alle sue manacce lunghe? al suo occhio bieco, pur s'era celeste turchinello a vedersi?

Turchinello sí ma pieno d'insidie, di tranelli. Niente a che vedere col celeste acquamarina di Rorò, trasparente come quello degli angioli di vetro, a parte le fesserie della gioventú, comunque anche in quelle Rorò era stato impilottato da suo padre Antonino.

Rorò buono sempre era stato. Una pasta di mandorla. Un ragazzone grande massiccio con le spalle da carrettiere, tutto cuore!

Non s'era forse rassegnato lui a Maddalenina, abituato ai suoi modi da arpia, subito dopo l'episodio della frittata in faccia che quasi glielo accecava l'occhio, ad appena un giorno o due dal matrimonio?

Un'arpia Maddalenina. Una furia peggio di quelle che avevano inseguito Oreste matricida!

Ma lui, Sasà Azzarello, non era matricida! Tutt'altro! rispettoso, a suo modo ubbidiente, un buon figlio era stato per sua madre Tommasina.

Non si dava pace Sasà quando pensava che solo da un anno la moglie lo aveva lasciato andandosene al camposanto, e non certo per fargli un piacere.

Il buon Dio, anche se lui non ci credeva al buon Dio, ché d'antica fede laica pagana era, aveva deciso di graziarlo. Di condonargli i pochi anni che gli restavano da vivere, sempre che morisse di morte naturale.

Mentre che poteva trattarsi di mesi o giorni, se gli riusciva sul serio d'impiccarcisi all'albero di Giuda.

Ci si doveva affezionare a quell'albero! dannazione!

Lo doveva pur trovare il coraggio che la natura gli negava.

Lasciamo stare – si diceva Sasà – il confronto con Aiace, trafitto di sua mano! ché quello un eroe era! un eroe del mito!

Lui non pretendeva d'essere eroe. Del resto per ammazzarsi non c'era bisogno d'essere un eroe. Bastava essere come Candeloro Pisanò.

Com'era Candeloro Pisanò? un ometto era. Professore di filosofia al liceo, al corso B, con la faccia a chiazze rosa e marroni, come certe gatte per strada quando prendevano la rogna.

Un ometto insignificante era Candeloro Pisanò. Non parlava mai, ma quando s'agitava, s'annirbava, tale gorgo di sillabe gli transitava nel cannarozzo che cominciava a tremare tutto, con gli occhi bovini in precipizio dalle ciglia.

Specie quando gli volevano cambiare il testo di filosofia, il Lamanna, giacché tutto a memoria per filo e per segno lo sapeva. Pure nella punteggiatura, per non dire che a occhi chiusi lo trovava Socrate, a metà del primo volume.

Se lo provocavano, il professore Candeloro Pisanò restava immobile per una decina di secondi, gli occhi fissi come quelli delle salamandre quando si schiacciano contr'al muro.

Poi esplodeva in una cascata di parole a precipizio, farfugliando incespicando morsicando abbrancicando accalappiando sillabe tra lo spasimo delle mascelle che finivano a fuso.

Faceva di tutto il poverocristo ma due parole chiare, sensate, una appresso all'altra, non gli riusciva di spiccicarle in quel gorgo pauroso di grida gridolini strida vaneggiamenti ecc...

Che forse poteva dirsi un eroe Candeloro Pisanò?

Nient'affatto... Eppure s'era ammazzato. Segno che per ammazzarsi non c'era bisogno d'essere eroi. Solo un pizzico di coraggio ci voleva, e lui infine l'avrebbe trovato!

La questione era una e una sola, bisognava prendere confidenza con l'albero di Giuda.

Sasà, che questo l'aveva capito da un bel po', se lo ripeteva cento volte al giorno, tanto che anche la tartaruga l'aveva chiamata Giuda.

Veramente da che era morta la moglie Sasà ne aveva avute tredici tartarughe, e tutte le aveva chiamate Giuda. A che gli venisse familiare quel nome, a che non avesse piú a temerlo quel tronco minaccioso, quei rami calvi disperati da cui snidavano quegli strani ridicoli sbuffi arancione nei lenti tramonti d'estate, come nei tramonti spicci dell'inverno quando il cielo era solo una spoglia inerte arida.

Doveva prenderci confidenza, e già da circa trentanni Sasà si era orientato in tal senso. Da quando Candeloro Pisanò li aveva fatti fessi tutti quanti, impiccandosi di prima mattina e lasciandoli con tanto di naso, ramminchioniti per lo stupore di sí tanto gesto.

Lui, poi, per i suoi infiniti propositi di suicidio, mai realizzati, sempre differiti, aveva pure provato invidia. Tanta.

Pisanò senza tante chiacchiere né proclami né prove generali, c'era riuscito al primo colpo.

E lui, Sasà, che del suicidio aveva fatto la pietra miliare della sua esistenza, le fondamenta della sua vita sgangherata, considerato l'effimero fatale transito del tempo, era ancora vivo dopo mille e piú propositi di suicidio.

Dopo infiniti testamenti olografi con le sue ultime volontà riguardo alla sua salma (un po' voleva essere cremato poi seppellito in una cassa di legno massiccio sotto il padre Cornelio...), dopo averne partecipato parenti e amici, sino con manifesti affissi sul corso.

Niente ancora, si vede che non è tempo – si diceva Sasà un po' con aria di rimprovero un po' con toni di giustificazione. Invocandolo il destino a che potesse infine attuarlo quel sospirato desiato suicidio, perfezionato in tutti i dettagli già da anni.

Dacché era morta la moglie Sasà si esercitava spesso davanti allo specchio grande in camera da letto, a figura intera.

Provava e riprovava per vedere come gli riusciva il suicidio. Come stava con una signora corda attorno al collo.

Anche quand'era viva la moglie Maddalenina provava, ma solo al cesso con lo specchio piccolo, quello per la barba, che pendeva dal rampino sopra il lavandino.

Non gli veniva bene, però, non era la stessa cosa! con

quello specchio oltretutto rotto in due e incollato, 15 x 15, gli riusciva a mala pena di vedere il mento a fuso, e un pezzetto di collo color melenzana.

Il labbro, per via del taglio netto che segava in due lo specchio, da su a giú, gli diventava leporino.

Senza dire che non poteva sapere che effetto facesse la corda (3 cm di circonferenza, quella per imbragare il carico delle navi al porto) sul suo collo slanciato infinito come certe figure del Modigliani.

Da quando la moglie era trapassata, lasciando Sasà a miglior vita, era tutta un'altra storia.

Nella camera da letto Sasà ci passava ore, ritto davanti allo specchio dell'armadio, ad acconciarsi la corda al collo, a farlo e disfarlo cento volte il nodo a che gli venisse perfetto.

E gli veniva perfetto! un capolavoro!

(E dire che Sasà non c'era mai riuscito con la cravatta, motivo per cui portava solo magliette girocollo, o polo con tre bottoncini).

Le rare volte che bisognava averla la cravatta – i funerali le riunioni del collegio dei docenti a scuola – ci pensava suo padre Cornelio a fargli il nodo, perché di sua moglie non si fidava. Il punto del collo era delicato, bastava stringere una puntina in piú e...

Sasà, ora che la Tyche l'aveva liberato di Maddalenina, risparmiandogli almeno gli ultimi anni, non voleva piú pensarci a quella strega.

Quanto poi all'eventualità che lei potesse strozzarlo con la scusa del nodo alla cravatta era, per fortuna, acqua passata.

Da che lei era morta Sasà era libero d'andare avanti e indietro per tutto il primo piano della sua casa.

Se n'era infine riappropriato della casa. Ci si sentiva un pascià. Niente orari né sgridate né mugugni.

Ci faceva avanti e indietro nel corridoio, affagottato nella sciallina grande di lana, per sentire il ronfo dei suoi passi, solo i suoi passi, e vedere la sua ombra ingigantire sul muro.

Solo del primo piano disponeva Sasà, però; perché al secondo ci stava il primo dei suoi figli: Cornelio, come il nonno, ma del nonno purtroppo non aveva che il nome.

Quanto al resto era un balordo di quarantasette anni, che lo guardava in cagnesco, con occhi ringhiosi, e viveva intanato nelle due camere al secondo piano piú cesso, con una trentina di gatti, e un vecchio pianoforte.

Con Sasà non si parlavano mai, né si guardavano. C'era una specie di tregua armata.

Uno di qua, uno di là. A essere precisi uno su, uno giú. Sasà era rimasto al primo piano dove, oltretutto, aveva vissuto con la moglie. Dov'erano i suoi libri di letteratura e filosofia.

Per non parlare del clistere – la stitichezza era uno dei suoi crucci maggiori negli ultimi anni – del rasoio da barba, del suo vaso da notte, e il resto.

Solo che Sasà qualche accorgimento di prudenza nei confronti di suo figlio Cornelio lo prendeva.

Non si sa mai non si sa mai – pensava lui che lo sapeva quant'era maligno quel suo figlio, pieno di rancore.

Quando Sasà usciva sul terrazzino a stendere la biancheria – calzini mutande pigiami – stava attento a camminare accosto al muro, e non oltrepassare mai la copertura della tettoia che copriva meno della metà del terrazzino.

Questo perché temeva che Cornelio – da quando era nato quel figlio lo guardava torvo bieco – gli rovesciasse lo ziretto di terracotta col basilico sulla testa, o qualcuno dei suoi stramaledetti gattacci ad azzannargli la giugulare.

E per la sua giugulare, a quant'era sottile la pelle – bastava un'unghiata. Non piú.

Ora Sasà per morire voleva morire. Il suicidio era stato sua unica e massima aspirazione già all'età di ventanni, dopo i fatti di Padova che, per due anni, ne avevano consigliato cauta segregazione tra le mura domestiche a Bulàla.

Sí, è vero che Sasà voleva morire, ma di sua mano, per sua deliberazione, per un fatto di coraggio, di sublimazione.

Non mai per mano d'un balordo che gli rompeva la testa in quattro parti con uno ziretto di basilico!

Eppoi parole come *deliberazione volontà arbitrio determinazione* erano state il nutrimento spirituale, il concime filosofico di tutta una vita – pensava Sasà che mai e poi mai l'avrebbe messa a repentaglio la sua vita per uno dei tre balordi che aveva disgraziatamente contribuito a mettere al mondo.

Seppure controvoglia e col fatale presentimento di quello che sarebbero stati i suoi tre figli maschi... Tre inetti, tre ombre, tre mosche sul muro. Tre balordi per l'appunto.

Meno male che gli restava Rorò, il cugino Rorò, il figlio di zio Antonino! – pensò Sasà Azzarello ormai prossimo all'albero di Giuda, proprio in fondo alla Villa.

Il posto piú bello, il belvedere, e sotto lo spettacolo d'un mare che poteva sembrare cielo tanto era trasparente.

In fondo, all'orizzonte, qualche lampara principiava a luccicare, a scuncicarle le onde timidette della sera, pur se ancora il cielo non la pativa la notte col suo fardello d'ombre.

Quello era il posto piú bello di tutta la Villa, di tutto il paese, di tutto il mondo – pensava Sasà.

Non c'era anima viva. Solo lui e Rorò in carrozzina sotto l'albero di Giuda.

Ogni rumore ogni frastorno del mondo ne restava fuori da quel recinto sacro che l'albero di Giuda s'era assicurato col fatto delle dicerie.

Altro che malaugurio! Tutta superstizione, cose da barbari!

Con quale coraggio lo diceva il Cataratta, quell'ignorante duro come i ceci prima d'ammansirli a bagno col bicarbonato – che l'albero portava jella!

Giusto perch'era una bestiaccia poteva dirlo, senza viatico di letteratura né filosofia.

Meglio cosí... meglio cosí – ruminava tra i denti Sasà, pensando alla superstizione che teneva i paesani lontani dall'albero di Giuda – ché almeno me lo godo solo io questo paradiso in terra. Anzi ce lo godiamo noi, io e tu, vero Rorò?

E a questo punto, già seduto sul vecchio sedile, con la carrozzina di Rorò di fronte assicurata col freno, Sasà cominciava ad accarezzare la testa del cugino, una calotta calda rosa come la cute dei neonati. Dove non c'era l'ombra d'un capello, l'ingombro d'un pelo.

La scusa era di controllare se il cugino sentiva freddo, poiché Rorò piú non parlava.

La verità era che quella carezza riempiva il cuore piú a lui che a Rorò che, la testa china sul petto tra la cascata di bave, sembrava non accorgersene affatto di quei fusoli magri magri sulla testa a lasciarvi una timida carezza.

Come non si accorgeva se c'era freddo, né se c'era caldo, né di quanto fosse bello il mare azzolato, turchino, sotto lo strapiombo.

Quella carezza faceva bene a Sasà piú che a Rorò. Il gesto della mano era minimo timido nient'affatto appariscente, ma quello che ci lasciava il suo cuore sulla testa nuda rosellina di Rorò era immenso ineffabile.

Era stata la prima botta, il primo ictus, a ridurre cosí Rorò. In carrozzina e muto. Col cervello chissà dove... chissà... quello nessuno lo poteva sapere.

La prima botta era stata terribile, una deflagrazione.

Le altre due erano state piccole toccatine, ma il danno era stato già fatto.

Stranamente, però, da quando Rorò era sulla carrozzina, in un isolamento totale irraggiungibile, in quella incosciente vegetazione di cui solo la sua carne sfatta beneficiava, Sasà ci andava d'accordo. Come non mai.

Profondamente, come non mai, pure se praticamente i due cugini, per un verso o per un altro, non s'erano separati un solo giorno in tutta la vita (nemmeno la moglie di Sasà, Maddalenina, c'era riuscita).

Sempre però col patto chiaro e sottoscritto da entrambi: intelligente Sasà, cretino Rorò.

Sasà, con la scusa di controllarne la temperatura, fece un'altra fugace carezza a Rorò, di cui solo la testa tonda ventosa affacciava dalla spalliera della carrozzella in tela cerata azzurra.

La faccia dallo strapiombo del collo appruava in mezzo al petto e lí giaceva, nell'inabisso delle costole, come un relitto tra la fanghiglia dei fondali.

Con la destra accarezzava la testa di Rorò, Sasà, mentre con la sinistra cercava di prendere confidenza con uno di quegli spropositati pennacchi arancione che costituivano gli strani fiori dell'albero di Giuda.

Quel fiore arancione in mano a Sasà, che pure sotto sotto una certa diffidenza un che di pauroso l'avvertiva nei confronti dell'albero, era carnoso allegro nel colore.

Però, nonostante fosse acceso sgargiante bello, una certa impressione la faceva.

Era una sensazione sotterranea inspiegabile eppure Sasà, quantunque predicasse la bellezza dell'albero di Giuda, e tuonasse contro la superstizione dei suoi barbari compaesani, non poteva disconoscerlo esiliarlo rinnegarlo quel brivido che gli correva lungo la schiena e gli faceva arrizzare i pochi peli superstiti nel naufragio totale delle costole.

Per questo, quasi certamente, Sasà non mollava la presa della testa pelata di Rorò.

Gli dava coraggio la testa calda calda, come i pulcini sotto la cova, di Rorò.

Pensava che la benignità dell'una compensasse la malignità dell'altro.

E continuava a dire ch'era tutta questione d'abitudine e di tempo riuscire a perfezione un progetto di suicidio, quando uno non ce l'aveva di natura il dovuto coraggio. E lui non ce l'aveva.

Quando avevano trovato morto il suo collega di filosofia Candeloro Pisanò, nel '65, lui, Sasà, aveva quarantanni e tre falliti progetti di suicidio alle spalle.

Tre modi, tre sistemi per porre fine decorosamente nobilmente alla sua ignobile vita.

La pistola, l'avvelenamento, e in ultimo l'annegamento. Pur se tutti e tre i progetti erano miseramente falliti, per un verso o per un altro, Sasà Azzarello non s'era dato per vinto.

Il fatto era che doveva rimettere ordine nei suoi pensieri, che tanti erano e valenti, però confusi, stretti come le palombelle quando la piccionaia è angusta e ci perdono le piume.

Una volta accomodati e ordinati per bene i suoi pensieri, con la giusta larghesía, il progetto gli sarebbe senza meno riuscito.

La certezza che su quell'ultimo punto non si sbagliava gliela aveva data proprio Candeloro Pisanò, docente di filosofia al liceo Pignatelli, impiccandosi.

Impiccandosi con una determinazione e una boccacucita che avevano lasciato tutti di stucco.

Lo spazzino, alle sei di mattina, l'aveva trovato, ciondolante, e col suo comodo aveva dato l'allarme.

Pisanò s'era impiccato a uno dei rami piú alti indentro all'albero di Giuda. Un ramo vecchio possente prossimo al fusto.

Pisanò doveva esserci riuscito al secondo tentativo, perché, lí a terra, giusto in corrispondenza dei suoi piedi, c'era una pila di cartoni (quelli che usavano nelle botteghe per tenerci le conserve di pomodori pelati), sparsi in disordine qua e là.

Ognuno dei cartoni, poi, aveva un grosso buco al centro, come se una scarpa vi si fosse profondata.

Evidentemente nel momento di passarsi la corda attorno al collo i cartoni avevano ceduto.

Tra l'accampamento dei cartoni rovesciati c'era pure una pila di blocchetti in cemento, salendo sui quali Pisanò aveva coronato con successo il suo proposito d'ammazzarsi.

Nei paesi – si sa – anche le cose belle ti rovinano, le deturpano ricamandoci sopra con commenti e sproloqui – pensava Sasà pur dopo trentanni a proposito di Pisanò.

Il fatto era che a Bulàla s'era sparsa voce che Pisanò si fosse impiccato per avere l'unica erezione di tutta la sua vita. Poiché da vivo – si diceva – non gli era mai riuscito d'averne una. Di sentirsi uomo come tutti gli altri.

Per avere (una volta un'unica volta almeno!) un'alzata di cazzo... che lo estasiasse sia pure al prezzo della vita.

A Bulàla si diceva che, per effetto della contrazione dei nervi, lo spasimo della morte da soffocamento provocasse come reazione meccanica, del tutto involontaria, l'erezione del sesso nei maschi.

E che questo era il vero motivo per cui Pisanò s'era deciso al suicidio, impiccandosi, per averlo dalla morte quel che la vita gli negava.

Che Candeloro Pisanò fosse *meomeo*, a Bulàla lo sapevano tutti, anche i colleghi del liceo e gli studenti.

Come sapevano tutti che *meomeo* indicava il maschio impotente, uno con un nervetto appiluccàto manso asciroccàto...

Fossero femmine belle bellissime nude sensuali cosciadimulúni per il *meomeo* era lo stesso.

Il suo inguine giaceva, alluppiato, imbalordito, in fatale negligenza di nervi e fermento come la patata quando, sottoterra, appirrugna e non fruttisce.

E lui per animarlo almeno una volta, per vederlo aspro stravolto fero, il suo inguine, da quieto e mollacchiúso qual era, non ci aveva pensato due volte a impiccarsi.

Questa la spiegazione che si dava a Bulàla del suicidio del Pisanò, che cosí miseramente liquidato, perdeva in coraggio e magnanimità.

Un vero precipizio. Dalle stelle alle stalle. Una ruina.

Non piú motivazioni ideologiche, non piú tensioni d'un animo vago, non piú inquietudini, non piú niente. Niente di niente.

Solo una questione di cazzo!

Sasà se n'era costernato non poco di questa spiegazione barbara, di questa maligna eziologia d'un gesto titanico. Assolutamente sublime.

L'unico di cui Pisanò potesse andar fiero, dopo una vita passata a farsi sfottere dagli alunni, a sentirne le reiterate pernacchie alle spalle.

A ingoiare angherie in silenzio poiché, quando ci provava a reagire, tanto s'animava per la furia del torto, che l'ingroppo delle bave pareva ucciderlo.

Gli occhi sgrillavano fuori vitrei, la faccia gli si chiazzava a panna e mirtillo, ch'era uno spavento.

Certo Sasà quando l'aveva visto morto alla Villa, ancora appeso al ramo – con un pennacchio arancione che gli passeggiava sul naso per via che c'era vento di ponente – l'aveva notato un certo sorrisetto di soddisfazione sulla bocca di Pisanò.

Lui, che sempre accucciate le teneva le labbra, e mai un sorriso, sempre ingrugnito, pure s'era un brav'uomo, sempre solitario come i cani quando assaggiano il bastone sulle ossa della schiena.

Certo se il motivo del suicidio era quello che si mormorava...

Il tarlo del dubbio si faceva strada nella testa di Sasà Azzarello con perfidia sottile: ... ma forse non lo era e allora... ma poteva anche... sebbene... e in tal caso... che pensare? uhmmmmm... ehmmmmm maaaah...

In simili interrogativi per trentanni Sasà Azzarello s'era mangiuliàto il cervello. Questo di torturarsi, infatti, per poi commiserarsi era uno dei suoi piú felici talenti.

Alla fine, però, Sasà se n'usciva riconfermando l'autorevolezza di quella soccorrevole provvida trovata filosofica ch'era il **Dubbio**, colonna portante di tutta la sua vita. Pietra miliare dei suoi mutevoli aleatori principî.

Principî – politici etici estetici – che comunque vergognosamente ignominiosamente mutassero ogni frazione di secondo, avevano pur sempre una motivazione solenne, un aition nobilissimo, una ragione filosofica: il Dubbio.

E Sasà sulla filosofia del Dubbio c'era campato per una vita.

Per esempio, sempre a proposito del Pisanò, aveva concluso: – ... E se anche l'abbia fatto per affermare il suo legittimo naturale talento virile (questa periegetica peripezia di parole valeva a dire: vederselo attisare, il *coso*), non è un ottimo motivo?

Questo, dopo avere sostenuto un attimo prima, medesimo il piglio, medesimo il convincimento, ch'era spregevole solo pensarlo.

Ecco come la poetica del Dubbio soccorreva Sasà Azzarello in tutti gli accadimenti accidenti incidenti nei quali la sua debilità d'animo si faceva notare col boato d'un vulcano quando prepara l'eruzione sottoterra...

Sasà Azzarello era per natura cosí. Sosteneva e negava, affermava e smentiva, implorava e sdegnava, esaltava e disprezzava... Tutto questo a un tempo medesimo.

Non che fosse un fatto di sudditanza alle altrui opinioni, a fargli cambiare idea sic et simpliciter. O un fatto di suggestione. No.

Sasà era stato suddito solo di suo padre, Cornelio Azzarello, e delle sue opinioni ma senza avvedersene, o almeno facendo finta di non capirla quella maledetta dannata inclinazione a obbedirgli, pure se faceva la scena delle ribellioni, delle crisi generazionali.

Quel bisogno assoluto di rispettarli i comandi del padre, d'offrirglisi ubbidiente, come una pecorella che va al macello, un piccolo belato ogni tanto, che lui magnificava chiamandolo **conflitto**!

Quella sottomissione totale, in ultimo, anche quando aveva dovuto sacrificare l'Ada, la friulana per cui s'era ammattito a Padova. L'unica creatura che avesse amato in tutta la vita.

Del cui ricordo era vissuto, e sopravvissuto alle torture di Maddalenina che lo stimava un verme, un inetto buono solo a dire bestialità, a farsi sfottere.

Ma l'aveva poi amata davvero l'Ada, Sasà?... s'era incaponito poi che l'aveva trovata **come** l'aveva trovata?... era stato un fatto di pazzia?... un focolaio di schizofrenia?... gli aveva fatto l'incantesimo quella creatura solenne come le statue nelle chiese?... oppure la *fattura* gli aveva fatto come sosteneva, a suo tempo, la zia Carolina?

La cosa era alquanto strana. Il mare giú, sotto lo strapiombo della Villa Regina Margherita, era calmissimo.

Approdava nella bruna chioma della roccia col polposo frutto dell'onda, odorosa di giovani alghe.

Era una bellezza quella seratina di giugno. Alle otto e un quarto anche il venticello freddo di ponente aveva preso un'altra direzione, e la testa calva di Rorò sotto la mano di Sasà era calda come la cova dei pulcini. Segno che non sentiva freddo.

Un tramonto proprio speciale. A quell'ora un estremo raggio di sole sfruculiando, tosto, tra i rami dell'albero di Giuda, non poco ne inquietava i fioriti pennacchi arancione, che l'intimità del raggio insanguava di lume rosso. Tale e quale il cielo.

Un Paradiso. Quasi, perché a dirlo veramente Paradiso mancava un ultimo dettaglio. Essenziale però.

C'era l'albero di Giuda (Sasà vi prendeva sempre piú confidenza ché un giorno o l'altro...)

C'era Rorò, come sempre, sulla carrozzina. C'era quel tramonto bellissimo seppur con tali mestrui sboffi di luce che la sera pareva non dovesse giungere mai, a precipizio dai costoloni rocciosi del Montelungo, dove già fiorivano i capperi con tanta salsedine addosso.

Ma non c'era il battito del mare. Non si sentiva il cuore del mare pulsare con tumulto e singulti a scuoterlo il petto di Sasà come sempre. Anche se il Cataratta a riguardo lo prendeva in giro e lo minacciava di lasciarlo solo alla Villa con Rorò, se non se la finiva di dire scemenze.

La spiegazione arrivò in un istante. Sasà dava al mare il fianco destro, là dov'era seduto. E di conseguenza l'orecchio destro, da cui non ci sentiva piú.

Sasà lesto lesto – destrrrr sinistrrr destrrr – offrí al mare, al suo fragore, l'orecchio giusto e il mare in un attimo gli fu tutto dentro. Un secondo, meno forse, e lo sentí forte forte, come quando la mareggiata sfiancava gli scogli. Sasà lo sentí forte il mare col suo battito di picciotto innamorato, col suo profumo d'alga e si sentí felice, come quando bambino gli riusciva di saltare la corda.

Era solo una questione d'orecchi, anche se quello destro, sordo, gli era caro – proprio perché sordo – non meno del sinistro.

Se, per caso, i discorsi del Cataratta del Pinna alla Villa gli facevano fare bile – cosa piuttosto frequente – o semplicemente quando aveva voglia di starsene solo, di starsene un po' con le sue fantasie, si sedeva sul sedile della Villa in modo da dare al Cataratta e al Pinna l'orecchio destro sordo, e non farci il sangue amaro delle loro frecciatine velenose.

Viceversa offriva il sinistro quando quei due inseguivano i loro acciacchi e se ne stavano muti.

Purtroppo negli ultimi tempi Sasà si serviva piú dell'orecchio destro che del sinistro.

– ... Rorò lo senti vero?... anche tu lo senti? lo senti il cuore del mare tu, vero Rorò? non è la mia fantasia eh? – prese a chiedere a raffica Sasà, chiedendo disperatamente al cugino Rorò conferma del fatto che il mare ce l'aveva il cuore.

E chiedeva con l'accanimento e l'orgoglio di quando da bambino gli diceva: – ... L'hai visto Rorò, vero che l'hai visto? l'hai visto che l'ho saltata la corda, eh? non te ne dimentichi vero?... non è che fai il Giuda eh...? sennò il cuore ti mangio... o me lo metto sotto spirito nella boccia...

Tutto preoccupato Sasà che Rorò confermasse con un bel **sí**, visto che spesso ci inciampava sulla corda e ne restava imprigionato alla caviglia pallidina, per via che le gambe le aveve corte e sottili come il filo della spagnoletta.

– ... Eh Rorò! che te ne pare? lo senti? il cuore d'un piccione pare... no... che bestia che sono! il cuore del mondo, del mondo c'è in questo mare qua, proprio sotto a noi, in questo spicchio di mare dove arrivano le radici dell'albero di Giuda... una fortuna da niente eh!?... per questo è bello e grande l'albero di Giuda. Un gigante una meraviglia ché proprio il mare gliela dà la forza... il mare se lo attacca al petto e gliele allatta le radici...

E forse quest'ultimo non era che un ennesimo argomento per convincersi che proprio ai suoi rami, ai rami dell'albero di Giuda, doveva finirla la sua vita, dondolando tra rossi pennacchi con una bella corda attorno a quel suo collo mingherlino accatramato, che oramai pareva pelle da concia per stivali a quant'era rigido. Scorbutico.

– ... Rorò lo senti vero? io lo so che lo senti. Vero? – tornava a chiedere Sasà, depositando l'ennesima carezza sulla testa calva del cugino, che non diceva né sí né no. Gli occhi accasciati sul petto, tenuti dentro la saracinesca di palpebre chiangiulíne allentate dalla malattia.

Eppoi, se anche non lo fossero stati prigionieri, captivi, gli occhi di Rorò, le poche volte che li spalancava, per uno scossone della carrozzina sulle buche dell'acciottolato, erano spersi nel vuoto. Con la pupilla sciallata da una glassa grigia opaca del colore dei polipi dopo la bollitura.

A Sasà faceva piacere pensare di poter dividere quella piccola gioia segreta col cugino Rorò, con cui aveva diviso anche gli istanti della nascita, oltre che tutta una vita.

Se ne confortava Sasà solo al pensiero che Rorò lo capiva, o lo compativa ché già questo tanto era per lui, dopo una vita miserabile passata a edificare progetti, destinati fatalmente a restare tali.

Come quello del grande amore con Ada – la sua sposa ne doveva fare... invecchiarci assieme... un'unica tomba... solo la morte avrebbe potuto separarli... – progetto nato e finito in meno d'un anno.

Quella volta, solo quell'unica volta – si diceva da cinquantanni Sasà come a volersene fare una ragione – era stata tutta colpa sua.

O meglio, colpa di quella sciagurata obbedienza che lo devastava peggio del vaiuolo, e che pure, nonostante tutto, sentiva di dovere piú d'ogni altra cosa al mondo a suo padre, Cornelio Azzarello, Direttore didattico alle Cavour.

Suo padre l'aveva cresciuto con gli occhi, concimandolo giorno dopo giorno, istante dopo istante, quando non era che un miserabile scarafaggio tra le cosce di sua madre Tommasina.

E poi una reputazione gli aveva fatto raccontando balle a tutti, a ogni ora, con ogni tempo, pure se aveva mal di petto, pure se la testa gli scoppiava, pure se aveva le tonsille gonfie di pus, con tale sciupio di forze che certo gli aveva accorciato la vita.

Oppure il progetto piú antico, fallito anche quello. Mai realizzato. D'uccidersi, di sradicarsi dalla vita senz'affanno, come una piantina di cicoria secca...

Rorò dalla carrozzina, pure se non poteva piú spiccicare una parola, lo confortava già solo con la sua presenza, già solo perché c'era lí accanto a lui, in qualche modo.

Di questo era convinto Sasà che ogni giorno, con ogni tempo, da che Rorò si era paralizzato, se lo portava alla Villa Regina Margherita.

A fargli prendere un po' d'aria poi che non gli riusciva di fargli riprendere la vita in mano, come un tempo, quando si facevano dispetti e ripicche a non finire.

Fino a che la moglie di Rorò era stata viva, Sasà andava a prenderlo a casa.

La vecchia casa col magazzino delle botti, e la rivendita di vino al minuto, quella in cui anche lui Sasà era nato, al primo piano.

Poi, morta la moglie di Rorò, Sasà andava a prenderlo all'ospizio, nel quartiere Calvario, a circa un chilometro dalla Villa Regina Margherita.

E se non ci fossero state quelle due rampe di scale in mezzo, Sasà Azzarello se lo sarebbe preso in casa, ché quanto a mangiare Rorò era rimasto tale e quale prima della botta al cervello.

Solo bisognava imboccarlo. Poi non dava problemi. Mangiava di tutto. Ingoiava ch'era una bellezza.

La malattia non glielo aveva guastato per niente l'appetito, proprio come da ragazzo quando con Sasà se ne andava nell'orto di Cantalaluna.

Un vecchio spilorcio, con una barbetta da Lazzaro, che aveva un albero di gelsi bianchi, grande quasi quanto l'albero di Giuda.

Se uno gli dava cinque centesimi, Cantalaluna lo faceva arrampicare sull'albero e poteva mangiare gelsi fino a scoppiarne.

Rischio che lui Sasà, rimasto sempre minuto nella crescita in proporzione a com'era nato, correva solo dopo averne mangiati una dozzina.

Mentre Rorò, che aveva una pancia immonda spunnata scatasciàta, ci stava ore sotto l'albero. Ci faceva notte, e non voleva saperne di scendere, nemmeno quando la campana del Carmine batteva le nove di sera e Cantalaluna minacciava di sciogliere il cane lupo dalla catena, se non veniva giú subito subito.

Poi per tre giorni se ne stava a letto con la febbre per

l'intossico, e la pelle martoriata, peggio della varicella, dall'allergia al succo dei gelsi che ne rapinava il telo fino di carne delicata, tipico di chi ha l'incarnato chiaro.

E lo zio Antonino per giunta a protestare con suo fratello Cornelio ch'era tutta colpa di Sasà se il suo figliolo dava di stomaco giorno e notte, con la febbre che se lo mangiava, e tale doglia di visceri che pareva perderle le budella.

Rorò e Sasà sempre insieme erano stati, anche quando s'era deciso che Sasà andava a Padova per l'università.

Sí, anche in quel caso Rorò e Sasà erano partiti insieme. Stesso vagone letto, stesse cotolette fritte nell'olio d'oliva, stesse arance incartate nella cartavelina. Quella che usavano le ricamatrici di Mirabella per copiare i disegni dalle riviste di città.

C'è da dire che, quanto a studiare, Rorò era stato duro come l'uovo bollito che a Pasqua si metteva sulle forme di pane, assieme alle palombine di zucchero.

C'era voluta tutta l'autorità di zio Cornelio, e il vino di nonno Rolando, per fargli avere un diploma magistrale in un istituto parificato dove anche alle pietre veniva assicurato il diploma.

Per cui chi ragliava, dimostrando di non essere pietra ma asino – il caso di Rorò – era già un genio.

Quello della scuola era stato un cruccio per Antonino Azzarello, il padre di Rorò, perché il ragazzo scappava dai libri come fossero ortiche spinose.

E questo già dalle elementari Cavour, dov'era direttore suo fratello Cornelio.

Cornelio certo lo proteggeva il nipote, piú per un fatto di razza, di potere, che per affetto.

E che? si poteva dimenticare che a momenti quella bestia lo fregava per sempre il suo Sasà, se non ci fosse stato lui lí pronto, con l'astuzia della sua favella, a rivoltare la frittata!?

Comunque, poiché lui era il capo, raccomandava Rorò ai maestri, pontificando sulla sua autorità di Direttore; ripassava a suo talento i voti del ragazzo sui registri, e quant'altro serviva a non fargli perdere l'anno.

Cosí Rorò, alle elementari, anni non ne aveva persi. Anzi alla licenza pure buoni voti aveva avuto.

Sempre per rispetto allo zio Cornelio, ché poi li favoriva i maestri. Chiudeva un occhio sulle malattie, sui permessi ecc...

Ma quanto pesava quell'interessamento di suo fratello Cornelio ad Antonino!

Quel sottostare al suo carnefice, al carnefice di suo figlio che per giunta ne diventava il salvatore. L'angelo custode!

Il sangue amaro si faceva ogni volta che si incontravano, lui e Cornelio, e poi a casa erano tutte pedate per Rorò che lo costringeva ad abbozzare, a mostrare gratitudine al suo boia!

– ... Ah questo tuo figlio, Antonino! cose dell'altro mondo... – e giú un sospirone lungo quanto un rutto! – Fortuna che ci sono io! quant'è bella la cultura!...

Poi Cornelio cominciava a profondere elogi al suo Sasà: – ... A scuola un vero portento... che domande intelligenti... che intuizioni... i maestri restano a bocca aperta... buon sangue non mente... buon sangue non mente...

Logicamente il buon sangue che non mentiva era il suo. Ma di questo se ne serviva anche come arma a doppio taglio contro Rorò.

Perché, se da una parte valeva a riaffermare l'antica incontrastata intelligenza di Cornelio, la sua superiorità sul fratello Antonino, dall'altra rinnovellava la stessa mazurca a proposito di Sasà e del cugino Rorò. Intelligente il primo, cretino il secondo.

Il povero Antonino se ne faceva tutta bile, perché era

convinto che Sasà aveva buona parte di responsabilità degli assurdi comportamenti di Rorò.

Ci metteva lo zampino Sasà a che Rorò sembrasse piú cretino di quanto non fosse.

In buona o mala fede quel maledetto ragazzaccio continuava a danneggiarlo il suo figliolo, già dal momento in cui, piccola larva nera schifosa, era venuto al mondo tra le cosce d'insetto di sua madre Tommasina.

Pur s'era nato mostriciattolo e **secondo**, a lui erano andati i complimenti e lo stupore gli accrescitivi e le esclamazioni ché quel bastardo di Cornelio era stato un vero diavolo a rivoltare la frittata a tutto vantaggio del suo insetto primogenito.

E del suo Rorò ch'era nato bello biondo, una vera meraviglia, pezze n'avevano fatto. Pezze.

Mille esempi confermavano l'ipotesi di Antonino riguardo al fatto che il nipote Sasà fosse l'artefice delle infinite cretinaggini che poi si attribuivano al suo Rorò.

Come quella volta che lo aveva trovato (Rorò aveva dodici anni appena compiuti) nel terrazzino dietro casa, coi ginocchi per terra e il cane accanto.

Abbaiavano Rorò e il cane: bau... baubau... bau... baubaubauuuuuuu bau bau bauuuuuu e ancora bauuuuuuu...

Finiva il cane e attaccava il figlio, e viceversa. Alla fine si esibivano in duo, contemporaneamente, con tale frastorno che tutto il vicinato aveva protestato di santa ragione.

Era agosto e per lo piú si dormiva con le finestre aperte tra il corteggio spietato delle zanzare e la luna sparata in faccia. Ne entrava un po' di fresco su dal mare, ne usciva l'agro tanfo di piedi e naftalina.

Quella non era notte di luna piena. C'era sí e no un quarto di luna, ma tale lo scintillio delle stelle come solo d'agosto succede.

Antonino, lí per lí, aveva pensato a una botta di sole presa al mare dal suo Rorò.

... Le teste bionde sono delicate... bisogna starci attenti... il sole lo cuoce il cervello a stufatino... rintrona per la calura!

Antonino pensava che fosse l'effetto di un'insolazione, ma si sbagliava di grosso.

La verità era lí, a un palmo dal suo naso. Diversa e terribile.

Sasà aveva detto a Rorò che la luna faceva i capricci quand'era arrabbiata con le stelle. Per questo s'affacciava dal cielo per un quarto appena.

Che, però, un sistema c'era per farla venire fuori tutta quanta tonda e lucente, *pupilla d'argento nel lucernaio del cielo* (citazione testuale): bastava chiamarla, solo chiamarla.

Come? abbaiando piú dei cani nelle notti di luna calante. Se la voleva vedere tutt'intera, bella tonda, Rorò non doveva fare altro che abbaiare. Solo abbaiare.

E Rorò, che quando parlava Sasà lo ascoltava parola per parola a bocca aperta, aveva abbaiato.

Come sempre in difesa di Sasà era intervenuto suo padre, Cornelio, con tale abundantia e magnificentia d'argomenti che, come sempre, i termini della questione ne risultavano capovolti. Da bianco a nero!

Rorò era il cretino imbecille che prendeva alla lettera – incapace di qualsiasi esegesi (citazione testuale) – le poetiche metafore di Sasà... sbraitava Cornelio concludendo che questo era il ringraziamento per avergli fatto avere ogni anno la promozione.

Di Sasà si disse ch'era un'anima gentile, un vero poeta a soli dodici anni, tanto generoso da perdere tempo appresso a una rapa, a un cretino. Senza tenere conto della distanza che lo separava da Rorò. Un vero abisso!

Anche nonno Rolando prese le difese di Sasà, seppure di poeti e metafore non ci capiva un fico secco.

Lui di vini capiva, di gradazioni alcoliche, di vigneti d'affari e sensalíe.

Che Sasà era un ragazzino eccezionale saltava agli occhi di tutti, senza bisogno d'essere allittràti.

Persino Carolina ne faceva un attributo d'intelligenza del piscio che le accecava tutt'e due gli occhi con l'acrore e l'acido dell'urina, ogni volta che Sasà di pochi mesi, libero dall'impiccio del panno, le pigliava dritto dritto il centropupilla!

– ... Lo capisce lo capisce apposta lo fa... quant'è intelligente... approfitta di quel momento... quant'è intelligente...

Poi regolarmente a tavola Carolina ne riferiva a Cornelio che ne beava e mangiava con maggiore appetito.

Mentre Rorò, che non pisciava in faccia a nessuno, come si faceva a dirlo intelligente? Cretino era, e cretino restava.

L'infiammata del tramonto cedeva infine al lento precipizio delle ombre, nel cielo di Bulàla. Sasà se n'accorse spiando il cielo da sotto l'albero di Giuda.

Esisteva davvero un *albero di Giuda* in botanica? o esisteva solo a Bulàla un albero con siffatto nome per via che fioriva proprio la settimana della Passione?

La questione non era mai stata approfondita da Sasà, cui piaceva tanto quel *Giuda* come nome d'un albero – il suo albero scelto per morirci – che mai e poi mai v'avrebbe rinunciato.

Visto che ci voleva morire col collo insellato a uno dei suoi rami, ebbene di quell'albero tutto doveva piacergli. Per prima cosa il nome.

Poi i pennacchi aragosta con tali chele di petali che ci si poteva lasciare, senza neanche avvedersene, qualche falange delle mani: **trac** e via il polpastrello del mignolo, **trrrac** e via la terza falange dell'anulare.

Quei fiori pennacchiuti erano una vera ghigliottina. Tanto meglio!

Se la stretta della corda al collo al momento d'impiccarsi avesse ceduto, c'era la possibilità che uno di quei pennacchi gli tranciasse di botto la giugulare.

A proposito della corda Sasà pensò che bisognava comprarne una nuova.

Quella vecchia che pure era un fior fior di corda, grossa quanto una salsiccia, le tarme l'avevano mangiuliàta dentro l'armadio dove la teneva da circa dieci anni.

In attesa di porre in essere il suo suicidio ben cinque corde avevano saziato le tignole all'ingrasso dentro l'armadio.

Inutile pensarci – si disse Sasà – e progettò di comprarne una nuova, per l'indomani.

L'ultima sicuro. Sarebbe stata l'ultima. Sarebbe stata compassionevole consentendogli di perfezionare una decisione presa a ventanni, per via d'uno sciagurato tormentato amore, che poi in meno d'un anno era stato bell'e sepolto, prima di quanto ci mettesse una corda a ingozzare le tignole.

Una corda nuova ci voleva. Con la vecchia – pensò Sasà – spurtusiàta com'era, rischiava tutt'al piú di rompersi una costola, mentre lui all'osso del collo mirava. Altro che costigghie!

Domani ne avrebbe comprata una nuova, senza badare a spese. Quella corda non avrebbe fatto la fine delle altre avverminate dentro l'armadio.

A quella il suo gozzo riservava Sasà. Era solo questione di giorni, forse settimane al massimo un anno. Non un giorno di piú.

Ormai era fatta: l'affezione all'albero di Giuda ormai gli era venuta. Sí che c'erano voluti trentanni, ma n'era valsa la pena. Visto il risultato finale.

Un po' accarezzandogli i pennacchi, un po' incoffariando le dita tra la corteccia che, nei punti dove piú era tritrigna compatta, lo guardava con certi occhi aizzosi, come a dirgli: ... scemo che aspetti? cuore di pecoro a quando?

Un po' sopportando le cacatine di passeri corvi assioli che dai rami displuviavano sulla sua testa, e glieli concimavano quei quattro capelli neri – non c'era trucco – violigni ad onta dei suoi settanta e passa.

Anzi per affezionarcisi sempre piú all'albero di Giuda,

poi che non si compiva ancora la sua impiccagione, Sasà aveva fatto una bella pensata.

Quella di chiamare Giuda la tartaruga che s'era messo in casa subito dopo il funerale della buonanima Maddalenina.

Buonanima come modus dicendi comune d'appellare gli estinti. Ché quella a dire di Sasà – e gli possiamo credere sulla parola – una diavula era. Sette vite aveva, e quindi gliene avanzavano altre sei.

Per questo Sasà viveva nell'angoscia di vedersela spuntare dalla terrazza, coi lenzuoli sotto l'ascella, o nel cesso a minacciarlo con la padella.

Nel cesso mentre lui, indifeso, l'anchetta di prete nuda nuda, sedeva sulla tazza in attesa del bisogno grande che non gli veniva mai per tempo a causa della stitichezza.

E ad ingannare l'attesa – a chi faceva male?... chi disturbava?... – si leggeva i sonetti di Shakespeare.

Maddalenina entrando come una furia gliele paralizzava le budella, e di conseguenza, a un tempo medesimo, il bisogno.

– Esci sciagurato... e quanto ci vuole? che sei gallina che fai l'uovo?... i conti facciamo come esci... te lo do io il ciarlestonne a calcinculo ti faccio ballare... dentro la tazza del cesso t'infilo e ci tiro l'acqua con la catenella... tu scimunito sei che questa cartaccia – alludeva ai libri – te l'ha avvirminato il *cirivello* (etiam cervello). Tuo padre buonanima (e si faceva la croce cosí per abitudine come ci si pulisce il culo dopo i bisogni al cesso) ce l'ha la colpa che t'ha consumato minghia e cervello a furia di dire *e quant'è intelligente* Sasà... *come ci spicchiulía l'intelligenza a Sasà...* poi quanto al resto (Maddalenina alludeva al **capitale**) Dio ce lo tenga mille anni all'inferno, ad arrostirsi la tigna, per quante minghiate andava dicendo.

Cosí infine tutto il vicinato la sapeva la verità su Sasà. Verità che con sforzi titanici e titanica facciatosta Cornelio aveva occultato fino a che aveva potuto – da quel buon padre qual era – e che ora veniva data in pasto a tutti i corvi del vicinato.

Gridata da dietro la porta del cesso ai quattro venti a che tutte le canaglie della strada sentissero.

E chi poteva dubitarne che fosse la verità, visto ch'era sputata dalla bocca sacrosanta della moglie medesima?

– Chi può saperle queste cose intime meglio d'una moglie? – questo il commento compiaciuto di quanti, a suo tempo, non ci avevano creduto alle fandonie di Cornelio Azzarello riguardo al figlio Sasà... anche se per un fatto d'invidia.

E infine proprio sua moglie Maddalenina, che portava il suo nome – ah sconsolazione! ah ingratitudine! – offriva a quegli ignobili sciacalli la vendetta su un piatto d'oro.

Questo l'amaro sconforto del povero Sasà, cui non riusciva nemmeno di starsene in pace, chiuso al cesso.

Quand'era vivo, il Direttore Cornelio aveva cercato di contrastarla quella sciagurata della nuora che, a colpi di piccone, sciagurata, distruggeva una piramide eretta da lui in persona, pietruzza su pietruzza, il capolavoro d'una vita!

L'onore al figlio ci levava quella diavola a forma di santuzza. E dire che lui, sí proprio lui, ce l'aveva voluta per moglie di Sasà.

Maddalenina di qua, Maddalenina di là, Maddalenina a destra, Maddalenina a manca...

Niente poteva rimproverarsi con quella sciacalla, proprio niente. Affettuoso era stato, premuroso persino.

Ah le mani si mangiava Cornelio quando pensava che quella pazza lui l'aveva voluta per moglie di Sasà. Lui ce l'aveva messa in casa al suo figliolo quella tarantola.

Con le sue proprie mani ce l'aveva messa la catena, che ora lo strozzava il collo del suo Sasà!

Come l'aveva imbrogliato con quella facciuzza d'arcangiola, e la bocca di miele! e quegli incisivi superiori sporgenti che davano garanzia di sottomissione, d'ubbidienza.

Ah benedette femmine, le buttane! Semplici senza intorcigli né sotterfugi né camuliamenti di testa.

Chiare come santa Chiara di Napoli! Non rompevano l'anima, rispettose, la bocca cucita e poi, riguardo al **capitale** d'un picciotto, come sapevano farlo felice un padre.

E pensava a sé Cornelio, padre felicissimo di Sasà.

Era solo colpa sua, niente ci poteva dire a Sasà. Il ragazzo aveva ubbidito, pure se due anni chiuso in casa inconigliato, col cervello appagliato e gli occhi spirdàti di sonnambulo, gli era costato lasciare la friulana.

Ada, quella pertica bruna pelosetta, con polpacci da ciclista, alta un palmo piú del suo Sasà!

Docile era stato Sasà. Dapprima – come in tutte le cose – ferro e fuoco aveva fatto.

Alla fine, però, un pecorello era stato e in quattr'e quattr'otto l'aveva lasciata la friulana, bottana a prova con tanto di garanzia.

Bottana pure se – come lei sosteneva quando pretendeva il matrimonio – aveva nella parentela vescovi preti e monache di clausura.

La friulana lavorava in ospedale come infermiera professionale al tempo in cui il suo Sasà era sbarcato a Padova con la *Freccia del sud* assieme a suo cugino Rorò. Alle maglie di lana, alla marmellata d'arance per la tosse, alle prugne secche per la stitichezza e a un treccione d'agli nuovi per i vermi nello stomaco.

Buttana di sicuro la friulana, a quanto gli aveva scritto a mortesubitanea (etiam in tutta fretta) con un telegramma suo nipote Rorò. Il tutto poi in un secondo tempo peraltro confermato per filo e per segno da Sasà.

Se almeno quella buttana non avesse chiesto di sposarselo Sasà! – pensava accorato Cornelio a fronte di quel suo figliolo emaciato consunto dal matrimonio con Maddalenina.

Se non ci fosse venuto il ticchio del matrimonio, con la scusa che aveva per parte di madre lo zio vescovo, e per parte di padre due zie, monache di clausura.

Maddalenina, arpia com'era, era riuscita a fargli rimpiangere insino l'Ada, la friulana, a Cornelio Azzarello.

Lui però Cornelio se la sentiva a posto la coscienza riguardo alla friulana.

Un mese in casa se l'era tenuta e, con tutto ch'era agosto, ore e ore giornate intere ci aveva perso sperando di farglielo capire, di convincerla che *accom'era combinata* (lei lo sapeva benissimo!) di matrimonio non se ne parlava nemmeno per scherzo.

E che?... – pensava Cornelio – santiddio, c'è un limite a tutto! Va bene un'amicizia, va bene... ma quanto al matrimonio... no proprio no... in quello stato!

Alla friulana Cornelio aveva proposto di prenderseli in casa, lei e Sasà.

Gli avrebbe costruito un appartamento, a sue spese, sopra il suo, comodo. Col bagno il terrazzino e la cucina, in piena libertà. In piena indipendenza.

Potevano mangiare soli, se lo preferivano, oppure giú al primo piano, con lui sua moglie e sua cognata Carolina.

Insomma aveva proposto, sia pure con l'amaro in bocca – giusto anche per non esasperarlo il suo Sasà ché pazzo lo vedeva al pensiero di perderla la friulana – di farli vivere, in casa sua, a suo totale carico, come marito e moglie.

Ed era stato proprio quel *come* che la friulana non aveva digerito.

Lei moglie voleva essere in chiesa e nei registri al municipio. Cosí, a un certo punto, li aveva mandati a farsi friggere. Al diavolo.

Mentre lei dopo un mese abbronzata ingrassata se n'era ritornata a Padova, fresca come una rosa.

Povero Sasà! povero Sasà!

Se ne tormentava Cornelio di quel figliolo tanto intelligente quanto sfortunato!

Tanto ubbidiente (pure se faceva la scena delle sfuriate e rompeva qualche piatto) quanto malasortàto!

Maddalenina un inferno era stata, una Caporetto, un'incursione aerea, una maledizione di Dio. (E che ci aveva fatto Cornelio a Dio che se la prendeva col suo Sasà? lui che quando raccoglievano per il Corpus Domini, faceva l'offerta piú generosa di tutta la sua scuola).

Maddalenina: una sciacalla. E quell'altra che s'era incaponita col matrimonio e i fiori d'arancio? e non s'era potuto smuoverla d'un centimetro? una buttana.

D'accordo sul fatto ch'era mite socievole sempliciona. Un'altra razza rispetto a Maddalenina.

Però buttana! composta **accom'era** ce l'aveva il coraggio di pretendere il matrimonio?

Cornelio a quel punto faceva domanda e risposta, mischiava le carte e le dava.

La risposta era inequivocabile: ce l'aveva il coraggio di pretendere il matrimonio la friulana? ce l'aveva! (dove coraggio stava per facciatosta spudorataggine bottanaggine).

Lui Cornelio la felicità di Sasà voleva. Solo la felicità del suo figliolo.

E ch'era un delitto forse volere la felicità del proprio unico figlio?

E invece tutto al contrario era andato!

Altro che felicità! Sasà disperazione aveva avuto sposando Maddalenina, che lui gli aveva procurato, dopo un fidanzamento-lampo.

In fretta e in furia, quando ancora Sasà era stordito dai

tranquillanti per tenerlo calmo (sette pillole al giorno e ogni sera il bagno caldo con la camomilla nella vasca).

In fretta e furia per lo spavento che potesse correrci dietro, con la *Freccia del sud*, alla friulana e maritarsela infine. Fuori di testa com'era!

E in quel caso il danno sarebbe stato irreparabile. Addio figlio adorato! Addio Sasà!

Ché quella, la friulana, la Sicilia nemmeno col binocolo gliel'avrebbe fatta vedere. Solo sulla carta geografica, forse neanche su quella!

E lui Cornelio che aveva custodito quel figliolo meglio delle reliquie di santo Vito alla chiesa madre, rimediando con la sua intelligenza la sua parlantina la sua cultura da Direttore didattico (da furfante diceva Antonino) persino ai guasti della nascita – secondo e mostriciattolo – doveva rinunciarci cosí a quel figlio? come niente fosse? gettarla via cosí la carne della sua carne? E che? perdeva un canino forse? una boccata d'aceto rosso, ppuuuh e via!?

Un figlio perdeva, e che figlio!

La *Divina Commedia* a memoria, e cosí Leopardi e Foscolo e quegli altri... come diavolo si chiamavano? (quegli altri *come diavolo si chiamavano* erano poeti ellenistici dell'antologia palatina, Asclepiade di Samo, Posidippo, Leonida di Taranto... Anite, Nosside...)

Poi se si pigliava discorso di filosofia, fino alle tre di notte, il suo Sasà disquisiva commentava.

Nessuno che potesse spegnerla quella sua favella aristocratica bizantina callimachea, in Piazza ai tavoli del caffè.

(Cornelio a questo punto tralasciava di dire un particolare, che cioè dalla mezzanotte in poi quelli del crocchio, in Piazza, attorno a Sasà erano di regola al primo sonno che si sa è il piú saporito!)

E ronfavano ch'era una meraviglia, con tale mantice nasale che i rondoni snidavano lesti dalla grondaia del caffè e andavano a riparare sulla torre campanaria.

Per quella friulana dalla testa dura, che non si voleva convincere in nessun modo, Cornelio Azzarello aveva sudato come non mai quell'agosto.

Nemmeno dieci boccali di limonate al giorno con l'acqua fredda del pozzo riuscivano a mitigare l'arsura della sua lingua, squatriata come la creta a furia di parlare portare esempi paragoni.

Oltretutto solo da dodici giorni aveva la dentiera a cascia che gli sucava tutta la saliva.

Ah disperazione di quei giorni! Ah preghiere di Carolina alla Madonna della Lettera, a Maria Immacolata, a santa Rita, con le dita insajate nella corona del rosario! A che lo guarissero Sasà da quella fissazione, da quella tortura. Nessuno ci poteva! I santi si facevano sordi, e pure la Madonna.

Sasà pareva affatturato da quella cavallona friulana che sbatteva la testa contro tutti i lampadari della casa a quant'era alta! Dio!

Tommasina e Carolina al gomito le arrivavano. Ma con quelle due il confronto non si poteva fare, ad essere onesti – pensava Cornelio.

Impossibile. Che forse femmine erano? vermi erano. Anche se loro avevano l'ammèsssstruo e i vermi no.

Ah sudate, ah sconforto, ah torture quando anche per il suo Sasà cominciava ad essere chiaro che non c'era una soluzione al problema.

Perché, cosí **accom'era** l'Ada, non la poteva sposare Sasà, certo, né d'altra parte poteva lasciarla per nessuna cosa al mondo. Mai e poi mai.

Gli occhi dalle orbite gli potevano sfossare, oppure scorciarlo fino alla terza pelle potevano.

Lui, Sasà, studente di filosofia, non l'avrebbe lasciata mai quella creatura *dalla caviglia fina tutt'osso* (in realtà aveva caviglie da ciclista), dove la pelle si curvava sottile come le sfogliatelle alla ricotta.

E quelle cosce nere ritte che facevano tremoliare insino il basolato del corso a quant'erano inforcate nel bacino.

E quella carne fitta senza una cimúsa di grasso! che meraviglia! Fitta piú della selvaggina di contrada *Femminamorta*!

La testa aveva perso Sasà! era chiaro lampante, e Cornelio Azzarello non faceva che torturarsene ripetendo cento volte al giorno a Carolina (povera Carolina! come gliela camuliava la testa).

– Ce l'avevo il presentimento io... il cuore d'un padre le fiuta le disgrazie prima del tempo... le carni m'arrizzavano quando mi diceva Padova Padova... Paaadova Padovaaaaaaa o niente... niente gli dovevo rispondere... **N-I-E-N-T-E** e lasciarlo con la licenza liceale poi... si vedeva poi... ora come faccio? solo sempre solo come un disgraziato... devo decidere... io la devo sciogliere questa matassa pure se il fegato lo butto a pezzi nel cesso a come sono avvelenato intossicato da questa sventura... e questa scimunita (era la moglie Tommasina) che neanche a tempo giusto l'ha saputo partorire fresca come le rose... mangia... dorme... si prende il fresco la sera... e certo, figurarsi...!

Questi erano gli sfoghi le lamentazioni le collere pilagnúse di Cornelio. Ogni minuto.

La frittata era fatta, la friulana ci passeggiava in casa sua, ci scialava ch'era un piacere sul divano di velluto bordò, con le cosce di vitella accavallate fin sopra la spalliera, e poi che con qualcuno doveva pure prendersela il povero Cornelio, chi meglio della moglie Tommasina?

Sembrava messa là, appostata al tavolino, solo per questo.

Come un sacco per farci esercitare il pugile, destro sinistro, destro sinistro, e lei proprio come un sacco se ne stava muta immobile tale abituata agli insulti di Cornelio *cretina scimunita llarà* che non ci faceva caso. Come niente continuava a nettarsi gli spinaci per la cena.

Ogni tanto guardava il marito con l'occhio strabo tale insellato tra naso e sopracciglio che quasi ne spariva quell'unica scarda di pupilla. A Cornelio pareva un segno di sfida e, rosso scarlatto dalla tigna incerumata sino al collo, come se tutte le vene addentro la testa fossero esplose, proseguiva tra insulti e implorazioni, certezze e dubbi. Sussulti e sudatine.

Perché con tutto che ogni gesto ogni parola ogni minimo intervento se lo faceva suggerire dai testi di pedagogia, stando al completo fallimento dell'operazione sino a quel momento, anche la **benedetta Pedagogia!** pareva averlo abbandonato, riservandogli sí e no, di quando in quando, qualche occhiata straba.

Proprio come faceva sua moglie Tommasina che col sudore fino ai calcagni – agosto era – nettava la verdura per la cena, placida placida, mentre il mondo precipitava addosso a lui con tale violenza da pensarsi prossimo alla fine, alla disfatta! – pensava sconsolato Cornelio, mentre Carolina gli allungava un'altra limonata.

Il lettore si rassicuri circa la resa di Cornelio. Il suo abbattimento, il suo confessarsi sconfitto era questione d'un secondo. Meno della lampadina quando si brucia la resistenza del filo.

– Momenti sono... momenti di sconforto... e che? un cristiano... oltretutto solo come un cane... non può avercelo un momento di sconforto...? – cosí diceva Cornelio, un attimo dopo. Forse era l'effetto del boccale (un litro e mezzo) di limonata fresca, preparata da Carolina, o forse era proprio del suo carattere *garibardino* come diceva Tommasina quando Cornelio s'alzava di scatto e partiva in quarta, trattenendo a stento la dentiera vecchia. Quella col ponte mobile.

Pronto Cornelio a vincerla la guerra con la friulana a

qualunque costo, pur di salvarlo il suo Sasà da quell'Ada che aveva la testa piú dura d'un mulo!

Sí, soffriva Cornelio si disperava sbraitava smaniava alle prese con un simile problema... camminava sulle lastre di vetro che a pezzi lo avrebbe fatto se solo un passetto avesse sbagliato.

Soffriva e avrebbe continuato a soffrire per salvare il suo Sasà. Del resto:

Cosa non fa un padre per un figlio!

In ultimo rincalcando la paglia sulla testa se n'usciva in direzione della Piazza, fresco come un bocciolo di gardenia, per tenerlo sott'occhio il suo Sasà a zonzo con quella. Sott'occhio a una certa distanza.

Per non dare a Sasà l'impressione che lo voleva sorvegliare spiare, secondo le direttive della pedagogia che Cornelio seguiva scrupolosamente.

Libero libero... bisogna dargli l'illusione che è libero a Sasà, cosí fa come dico io...

Sennò quello la combina la fesseria... mentre se si crede libero ci pensa due volte... il rimorso ci viene per suo padre che non gli vieta niente che non lo minaccia... anzi si tiene in casa pure la troia friulana...

Hai capito Tommasina?

Libero libero! e gli occhi sembravano precipitare, trascinandosi dietro insino le palpebre, assieme all'ennesimo rutto di limonata.

– L'aria s'è rinfrescata anche troppo... che dici Rorò ce ne andiamo?

La domanda, come tutte le altre, era piú un fatto d'abitudine, ché Rorò da anni non parlava né capiva.

Era nella condizione di chi naufrago tra il subisso implacabile delle onde in mezzo alla tempesta non voglia sprecare fiato a gridare ritenendola cosa del tutto inutile.

Tanto chi lo sente tra sibilo di vento e fragore d'acque? chi rischierà per lui sfidandole di petto le onde accrestate aizzose urlanti?

Forse c'è un pazzo, un pazzo che voglia buttarcisi a capofitto tra la rissa delle acque e morirci anche lui?

Sasà ch'era filosofo fino, 110 e lode alla laurea, queste cose le capiva benissimo. Ci studiava ci rifletteva ore e ore.

Ma quando tentava di parlarne con le rape del suo gruppetto alla Villa, non c'era verso che l'ascoltassero seriamente, specie quell'invidioso del Cataratta.

La diagnosi di Sasà riguardo al cugino Rorò era di matrice filosofica.

L'eziologia del torpore perenne di Rorò andava cercata nell'intelletto, nel labirinto del metafisico, nel dedalo della mente, e portava questo esempio:

– Ecco vedete? a voi Rorò, a voi che lo vedete sulla carrozzella accanto a me in carne e ossa qua vi sembra che sia vero? Invece no! Provate a sfilarvi gli occhi e intopparli nella nuca. Che forse lo vedreste, senz'occhi? no! Ebbene è la stessa cosa. Rorò c'è e non c'è. Pare che c'è nella forma – il grasso è qua il collo è qua la nuca c'è le braccia pure – ma nella sostanza Rorò non c'è. V'assicuro che non c'è. È solo una questione d'apparenze. D'occhi in faccia o sulla nuca. Mi capite ora?

A quel punto il Cataratta scattava dal sedile come se avesse preso la corrente elettrica, mentre gli altri due, il Bronzino e il Pinna, se ne stavano con l'ambigua caratteristica vardatúra (sguardo) di chi non capisce se uno è rincoglionito oppure no.

– Sempre minghiate dici Sasà!? A ventanni minghiate, a cinquanta minghiate. Anche a settanta... il troppo è troppo... manco ora che sei vecchio metti giudizio?... È qua non è qua... c'è... non c'è... gli occhi nella nuca... roba di manicomio! Che siamo al circo?... i giuochi di prestigio vuoi fare? pittúrati allora... il rossetto alla bocca... il bistro agli occhi... e lo fai giusto il buffone... Non lo vedi che è qua Rorò? che l'ultima noce di bava ti s'è appiccicata alla manica della giacca da almeno un quarto d'ora? Qua è Rorò. Qua sicuro. È che tu Sasà nella testa chissà che hai! Aria fritta forse, o crusca. Quale c'è e non c'è!?? Che discorsi sono questi? per il culo ci vuoi prendere?... La botta ha avuto Rorò, te lo sei scordato? Allora vecchio sei... come gli altri... All'ospedale il primario ch'era tuo compagno di banco al liceo l'ha detto chiaro e semplice, pure tu c'eri... un *colpiceddo* in testa è stato. Una trombosi come ci viene a tanti. Tutto qua! altro che naufrago! altro che meta... metatisico (variante del Cataratta, lectio facilior per metafisico). Certo che *colpiceddo* non è stato. Un colpo di cannone è stato. Un attimo prima parlava camminava litigava si faceva il briscolone, un attimo dopo – eschiiiiiíííííí (suoni striscianti palatali usati a mo' di scongiuro come dire altolà!) – muto, la bocca che gli annaspava sull'orecchio, ciunco (paralitico) la testa a mulinello che gli cascava sul gozzo, l'occhio con la lacrima a cannolo, e tutto il resto.

Insomma da che era uno, Rorò era diventato un altro. Si pisciava addosso, non riconosceva, non dava voce.

Gli occhi piú chiusi che aperti, a vanella, con spifferi d'azzurro, la faccia straformata dal virgolone alla bocca che tirava a manca in direzione dell'orecchio.

Cosí il Cataratta spiegava la trasformazione di Rorò, passo passo.

Certo questo era vero. Chi poteva negarlo?

Fino a che il discorso riguardava la *straformazione* (sic il Cataratta per trasformazione) di Rorò, tutto questo era sacrosantovero.

Ma da questo a sostenere che il povero Rorò non c'era, o meglio *c'era e non c'era*, ci voleva una bella incoscienza, quella giusto di Sasà, a dirle certe...

Il Cataratta non era di parola facile. Non trovava un solo sinonimo per dire *minghiate* – Sasà, invece, mille ne avrebbe avuti pronti, in pizzo di lingua, – e anche con le similitudini difettava scarsiava proprio non ce la sapeva e, quando ne azzardava una, dopo il *come* che in genere principia una similitudine s'intoppava, restava a tre tubi.

Sasà a quel punto in cui il Cataratta definiva minghiate l'essere e il non essere di Rorò, oppure si fermava un attimo prima di dirlo – ma era proprio la stessa cosa – pensava alla buonanima di suo padre Cornelio.

Lui ci voleva, lui sí che gliel'avrebbe saputa chiudere la boccaccia al Cataratta, eccome!

– Razza pecorara nnettacessi ddumaquadàra (erano al tempo della vendemmia i garzoni che rianimavano il fuoco sotto i calderoni per la minestra o la mostarda)... scutolapirúcchi (spulciapidocchi) che ci avete nelle orecchie? lurdíca (ortica) vi ci cresce? o puddisínu (prezzemolo)? Oro oro colato in conto d'oro colato le dovete tenere le parole di Sasà. Che vi sembrano chiacchiere? quelle del mio Sasà meditazioni sono. Riflessioni. Pensieri fini sono. FILOSOFIA!

E nel dire filosofia l'emissione del fiato dalle narici bovine sarebbe stata tale da creare una non misera corrente d'aria.

– Roba da spremersi le meningi, quella, mica brodo di ceci! dove voialtri, bestiacce, ammullacchiate la mollica di pane duro.

– La filosofia? cosa seria. Piú della pedagogia. Piú... piú assai. Pensate che io alla pedagogia mi sono fermato. E tutti lo sanno quant'è intelligente Cornelio Azzarello... eppure davanti alla filosofia mi sono fermato... Quasi nessuno ce la fa con la filosofia. Nix nix vi dico... (nix valeva per *niente*).

Ah se ci fosse stato suo padre! – pensava Sasà.

Non l'avrebbe avuta vinta il Cataratta, a ko sarebbe finito!

Ma ormai Cornelio Azzarello non poteva piú difenderlo a spada tratta il suo figliolo, come aveva fatto sino all'ultimo respiro. Già dentro la bara, sul catafalco, col cotone a frenargli la bava della morte, si può dire.

Sasà era d'un altro temperamento. Lasciava perdere, soccombeva soprattutto ora che di fiato ne aveva pochino.

C'è da dire, inoltre, che la parte dell'incompreso, dell'artista in esilio, della vittima dei pregiudizi, dello sfottimento delle ciurme, gli cascava a pennello.

– Rorò te la ricordi la signorina Vitina Pèttica Borzí?... eh certo che te la ricordi... se fai un piccolo sforzo... lo sai che dice il dottore vero?... se parte una ruota tutta la macchina si muove e le va appresso... e cosí il tuo cervello... ma tu un po' d'impegno ce lo devi mettere e che? niente tu?...

Sasà ogni tanto faceva sua la filosofia del Cataratta, riguardo al cervello di Rorò.

Filosofia che contemplava un vocabolario inusitato, e similitudini strane del tipo gomma motore macchina ecc.

Insomma niente trascendenze né voli pindarici.

Quella sera del quindici giugno alla Villa Comunale, per la precisione, era una di quelle volte in cui lo soccorreva la filosofia spicciola del Cataratta (del tipo: il cervello è grigio il sangue rosso la carne si mangia l'osso si sputa e via dicendo), e poi chissà – mahhh – che il Cataratta non avesse ragione!

Il Cataratta che riconduceva tutto a una questione di bave, d'occhio storto, di bocca sdillabbrata, di budella sbomicanti, prostate, prolassi inguinali, ernie, vesciche ecc. forse forse aveva ragione lui.

Almeno – pensava Sasà con l'occhio manco insidiato da uno sbavo rossastro di tramonto lungo come la coda d'una rondine – il Cataratta s'è fatto rispettare in famiglia.

E sua moglie, pure se le gambe peggio dei rami d'ulivo ce l'aveva con le ginocchia arrocchiate per l'artrite, e le giunture nodose gonfie come l'impiallacciatura quando prende l'umido, fino a un giorno prima del trapasso l'aveva servito a puntino come un dio!

Lei la schiava e lui il pascià!

Riguardo a come l'aveva insegnata sua moglie, a servirlo in tutto e per tutto, il Cataratta era stato un grand'uomo. Cento volte meglio di lui. Sasà glielo riconosceva.

Si potevano fare paragoni? No.

Il Cataratta sempre con le scarpe lucide, anche alla falegnameria! Lucide che gli brillavano pure tra l'infame assedio dei trucioli di segatura!

Mangiare sempre a puntino! Trippa, maccheroni col sugo, le melenzane, il buccellato, il falsomagro con l'uovo duro e il prezzemolo.

Una santa donna, quella Caterinetta, ubbidiente fino alla fine dei suoi giorni. Fino all'ultimo respiro.

E il Cataratta infine era solo un falegname. Anche se con la spocchia che aveva si definiva ebanista, in realtà solo porte e portoncini faceva alla falegnameria.

Mentre lui Sasà Azzarello ch'era docente di ruolo di storia e filosofia al liceo classico di Bulàla, le scarpe col gomito della giacca se le puliva la mattina, all'ultimo momento.

Un attimo prima d'entrare in classe o nell'intervallo, quando andava al cesso ché per quella dannata stitichezza ci provava dieci volte al giorno, se mai...

Erano una vergogna quelle scarpe!

La polvere tale inzeccata nella tomaia che non si capiva s'erano nere gialle o blu.

Lui proprio non ci riusciva a lucidarsele le scarpe con la spazzola la vernice e il lucido.

Questione d'abitudine! A casa, quando viveva ancora con suo padre sua madre e la zia Carolina – prima di rovinarsela del tutto quella sua vita sgangherata sposando Maddalenina – la zia Carolina gliele puliva le scarpe. Con la vernice e lo straccio di lana, che poi era la manica d'un vecchio golf.

Per forza che poi quando entrava in classe con quelle scarpe, ogni volta un putiferio!

Se riusciva a stanarlo un po' di terriccio dalle scarpe, in compenso la giacca all'altezza dei gomiti gli restava tutta inzaccherata consunta sbiadita.

L'ordito della grisaglia antracite sfilava attisichiva impallidiva dissanguava per il fatto che Sasà pretendeva di pulirci le scarpe. E senza il ristoro d'una nocciola di vernice!

Dio com'era tardi. Proprio tardi! – Sasà s'accorse d'essersi trattenuto alla Villa piú del solito pure se lo sapeva che per le nove massimo doveva riconsegnarlo all'ospizio il cugino Rorò. Sennò l'infermiere di turno faceva storie.

Un po' c'era la partita alla televisione, un po' stava al telefono con l'amante. Insomma faceva storie.

Ogni sera a quel punto quando, la carrozzina dinnanzi, Sasà Azzarello suonava al portone dell'ospizio se lo sentiva schizzare via il cuore dal petto, come quando un ascesso sulla natica è bello maturo, per l'impacco di linosa, e sbotta da solo.

Basta una minima accidentale toccatina e l'ascesso sgrilla dalla calura del suo antro sotterraneo carnoso, sí che a malapena lo frenano le mutande.

La furia è tale che chi ce l'ha sulla natica, e non lo può vedere, non se n'accorge lí per lí che l'ascesso è sbottato.

Cosí era ogni sera per Sasà. Il cuore gli schizzava via senza peraltro che le costole del torace fine come lische di pesce valessero a trattenerlo.

Qualche lacrima appiumava lenta nell'approdo malfido incerto delle poche ciglia sopravvissute allo scempio della congiuntivite, alla roncola dell'età. E lí, leggiera, tra peluzzi leggieri se ne restava, senza farsi notare, prima di seccarsi per via del venticello che sempre a quell'ora saliva dalla marina e nettava l'aria.

Sasà, nei pochi attimi prima che il cancello si aprisse a metà come ogni sera, si chinava sulla carrozzina e avvicinava la sua bocca all'orecchio di Rorò.

Come a lasciarvi un segreto, che solo loro due cugini potevano custodire. Stabilendo una complicità che Rorò non poteva far sua, che, in fin dei conti, nemmeno da ragazzi avevano avuto.

Poi, Sasà gli aggiustava la giacchetta di lana sulle spalle, gli controllava il calore sulla tigna, gli stringeva la mano destra grassoccia con le sue falangette scarne, gli lasciava un bacio sulla fronte.

Erano gesti inutili. Era solo un modo per perdere tempo. Per restarci qualche minuto in piú con Rorò, mentre già i cardini arrugginiti del portone, trapassando l'orecchio sinistro di Sasà – l'unico da cui ci sentiva – annunziavano al suo cuore la minaccia incombente della separazione con lo scoppio d'una mina scordata.

Era questione d'un attimo. Rorò, con la ciurma delle bave sfrenata sulla giogaja di grasso del collo, non diceva ne sí né sní.

Niente diceva. Solo il respiro pieno se ne udiva quando impigliava tra gli sputi della laringe, o attruppicava in qualche cespo di catarro.

Sasà non la vedeva allontanarsi la carrozzina con Rorò. A quell'ora dentro il portone c'era già la luce della notte.

Una luce bluastra sconfortante disumana che agghiacciava il sangue nelle vene di Sasà.

Vagamente ricordava certe albe alluminiose violacee quando il cielo prepara lampi e intorno c'è una chiaría strana, un'ombra albicante che fa drizzare la peluria sulle ossa della schiena ai passeri.

Una luce paurosa, che mette addosso i brividi come se il cielo volesse concluderla infine la sua vita, l'eterna vicenda del suo vagare, del suo pellegrinaggio pazzo. Di lí a un momento senza un percome senza un perché.

Eppure c'è silenzio intorno. Non abbaiano i cani, non spara il lampo, non stridono i piccioni nella colombaia né attristano l'aria dei loro gemiti di morte.

Tutto tranquillo sembra. Nulla è mutato intorno. Nulla che possa dirsi fine catastrofe distruzione, eppure la minaccia della fine che allutta l'aria è già fine è già catastrofe è già morte.

Quando il portone si richiudeva con un botto secco, di quelli con lo scatto, in faccia a Sasà, giusto in tempo a che sparisse ai suoi occhi la carrozzina con Rorò, inghiottita dal buio lumeggiato del corridoio, Sasà restava immobile per qualche minuto col vecchio battente quasi sul naso. E pure il suo cuore immobile.

Nella stradina l'acciottolato bruno rimandava a una quiete irreale, mentre le basole di pietra mantenevano la timida calura del giorno, s'era d'autunno. La rabbia del sole, s'era d'estate.

Attimi eterni tra la rissa silenziosa delle inutili domande di sempre, d'ogni sera, davanti all'ospizio. Con un grillo sul carrubo accanto al portone che straziava l'aria del suo frinire angosciato.

Che fare? suonare forte il campanello? dare calci al portone, riprenderselo Rorò e consegnarlo al tramonto che incendiava ancora il cielo di Bulàla, pure già se la notte, in timido agguato, inteneriva il cielo di stelle e i pescatori lasciavano il pontile con le barche dei padri, per aspettarla al largo in mare la notte verso le rocce nere di Balatazze, per udirlo infine al timido lume delle lampare il giudizio della sera?

Serviva questo? Sí, solo a dirlo pazzo poteva servire – pensava Sasà Azzarello, immobile col battente che gli sparava sul naso, un attimo dopo appena, sul punto di riprenderselo il cuore e dargli un altro po' di corda e farlo battere anche stentato anche sfinito almeno fino ad arrivare a casa, dove l'aspettava la tartaruga Giuda. L'ultima in ordine di tempo, da che era morta Maddalenina.

Tredici ne aveva avute nel giro d'un anno e mezzo, una dietro l'altra. Ne seppelliva una, e ne acquistava subito un'altra.

Tutte *Giuda* le aveva chiamate, nella speranza d'affezionarcisi a quell'albero gigantesco della Villa Margherita, ai cui rami aveva fatto voto d'impiccarsi.

Di farcelo ventolare il suo corpo leggiero come la libellula che affoga nel pantano, quando vi plana a dissetarsi e invece ne muore. Con le alucce incapizzate nella frasca infangata.

Per questo l'aveva chiamata *Giuda* la prima la seconda

la terza... la quinta... la decima. *Giuda* tutte, ché cosí pigliava affezione all'albero della Villa, al suo albero.

– ... Giuda dove sei? Giuda pronta è la lattuga... Giuda il panellatte nella scodella te l'ho lasciato... Giuda non mi fare anche tu lo scherzo di buttarti dal terrazzino... e romperti queste belle zampette... Intesi?

Non c'era risposta – e come? La tartaruga continuava con la sua foglia di lattuga, sotto al fresco del lavandino, come niente fosse.

Era destino che nessuno gli rispondesse piú a Sasà. Solo domande, le sue, e nessuna risposta.

Né Rorò rispondeva né la tartaruga Giuda. Ogni tanto si vedevano due occhi spalancati, un po' tonti, spuntare da sotto il guscio, o il lavandino nel cucinino. O dietro la vecchia tenda acrilica del salotto.

Anche Giuda come Rorò muta. Né sí né no. E Sasà poteva fantastichiare di tutto, inventarseli i pensieri di Rorò e anche della bestiola, proprio come piaceva a lui.

Deciderli i pensieri del mondo a suo talento.

Segnarne le strade le trazzere le pause il capolinea i tempi le vicende la morte e la resurrezione come, invece, non gli era riuscito di fare col suo straccio di vita, strappato piú del cencio con cui tappava il lavandino quando vi lavava la lattuga per la tartaruga Giuda.

Deciderli i moti del mondo a piacimento. Su giú ancora su ancora giú a destra a manca a marina a ponente a valle.

Sí, questo gli riusciva infine, sia pure solo con Rorò e la tartaruga Giuda, che non gli davano sulla voce come faceva il Cataratta. Che non pretendevano di conoscerli i pensieri del mondo come il Cataratta, che dicendo *minghia* credeva di dire *mondo universo cosmo*.

Il Cataratta solo perché ne capiva di listelli terzere capezzate imposte montanti puntelli alamite accumulatori piallatrici e cunei pensava di conoscerlo tutto il mondo, e che il mondo fosse chiaro semplice leggiero come i trucioli della segatura quando il legno se ne sgravava da sotto alla piallatrice.

Il mondo non era cosa dappoco. Un bullone qua, uno là. Un chiodo da una parte un'asse da un'altra, per dirla col linguaggio del Cataratta – pensava costernato Sasà ora che a settantanni suonati mica l'aveva capito com'era il mondo.

Piú complicato di sicuro. Piú difficile di come lo faceva il Cataratta. O invece era proprio chiaro e semplice il mondo, un bullone qua e uno là?

In simili pensamenti e ripensamenti ancora ci s'impantanava Sasà Azzarello pure se da anni, anche per via che la vecchiaia si faceva sentire, aveva deciso di non cascarci piú.

Con quali risultati poi? Il cervello gli fumiava, le orecchie gli ronzavano come se tutti i moschiglioni dell'universo vi si fossero dati convegno, lo avessero scelto per quartier generale.

Tanto che un orecchio ce l'aveva perso. Sordo intronato a furia di zsszzsszzzz e ancora zzzssszzzs...

Meglio lasciar perdere – si diceva Sasà – che sordo dal destro non voleva minnicarsi (distruggersi) anche l'orecchio manco.

Insomma, dopo qualche minuto, il battente sul muso come la biada agli asini, Sasà se ne convinceva che anche il mondo di fuori non era un granché. Pure se c'era un tramonto da cinemascope e un'aria fina leggiera che volendo ci si poteva volare.

Dall'ospizio a casa sua c'era venti minuti di strada, se la pigliava comoda. Sennò dieci.

In genere Sasà ci stava proprio venti minuti pieni perché quando lasciava Rorò all'ospizio non gli riusciva di lasciare assieme al cugino il misero fardello della sua miserabile vita, e vederlo scomparire nella luce viola del corridoio. Proprio come succedeva con la carrozzina di Rorò.

No! quello – il misero fardello della sua vita – ne veniva fuori, sguinciava maledetto per un minimo spiraglio del portone.

Gli s'aggramignava lo tafaniava lo crapuliava gli treppicava il cuore come i grappoli dell'uva nel palmento sotto i piedi grandi dei picciotti.

E lui, volente o nolente, se lo portava appresso a fatica, quel fardello, specie dove piú le basole erano sparigliate e, quattr'ossa com'era, rischiava di perderlo strada facendo, per un nonnulla. Se solo chinava il collo un po' piú a destra o a sinistra.

Vi s'adattava a quel fardello Sasà. Lo subiva poi che non poteva tranciarlo di netto, come faceva col bozzolo di bave di Rorò, e consegnarlo al tombino delle fogne.

– Rorò l'hai vista la signorina Vitina Pèttica Borzí? Anche lei alla Villa... il fresco si prende ora ch'è in pensione... là è... sicuro lei è sicuro... – chiedeva Sasà a Rorò solo per un fatto d'abitudine.

La signorina Vitina Pèttica Borzí era stata collega di Sasà al liceo classico. Professoressa di lettere al ginnasio corso C, insegnante scrupolosa precisa.

Mai un giorno d'assenza, il quardernuccio degli appunti con la copertina nera lucida sempre in mano, perché nell'intervallo ripassava i paradigmi dei verbi greci, specie i politematici del tipo *orào* e *fero*.

Mentre che lui Sasà, nell'intervallo, col gomito della giacca s'affannava a dissotterrare la pelle delle scarpe dal centimetro e passa di polvere azzuccata quagliata dura come granito.

Su due gambette da cicogna poggiava in un unico pezzo il corpo della Pèttica Borzí perché petto vita fianchi bacino culo costituivano un'unica bolla, cucita assieme dalla pelle.

Un'enorme bolla gassosa tonda tonda, gigantesca. Un trionfo di gas – pensava Sasà pure se la vedeva da lontano.

E dire che fino ai quaranta la Pèttica Borzí era stata una sarda, seccasecca, col petto stitico e al posto dei fianchi due anchette da seminarista.

I vestiti di maglina, come usava fine anni Sessanta, a fasciarne le quattrossa, e una fila di bottoni madreperla sino alla vita sul davanti.

Sasà pensò che certo prendeva ancora le pillole a giudicare dall'ammasso di gas e acqua in bilico sull'incerto davanzale del bacino, che due gambette di cicogna sostenevano.

Come si poteva spiegare diversamente quell'enorme pallone d'acque, che costringeva la signorina Pèttica a fare passi da galletto sulle due gambe stecchite?

Gambette che a fronte del corpo sembravano lunghe lunghe mentre la signorina Vitina Pèttica Borzí di statura bassa era. Un metro e cinquanta, o cinquantatre.

La spiegazione solo una poteva essere. Le pillole – estratti ormonali ad altissimo dosaggio – erano la causa di quello scempio sul corpo della signorina Vitina.

Possibile mai che li prendesse ancora quei maledetti ormoni, ora che almeno sessantanni doveva averceli la signorina Pèttica Borzí?

Che fosse impazzita a causa di quegli intrugli? eppure, anche se da lontano, composta sembrava, con la borsetta di vitello color crema che dondolava dal polso sinistro.

La Pèttica Borzí di sempre, tranne che per quella pancia spropositata di chi soffre di fegato.

Tale gonfia tutta la Pèttica Borzí, dalla pancia al petto, che una svolata di vento poteva d'un solo soffio imbragarla all'albero di Giuda, arrupandola tra i suoi pennacchi arancione. (Ma questa era una delle esagerazioni, una delle fantasie ad occhi aperti di Sasà quando non c'era Cataratta a dirgli *frena frena... che minghiate dici?*)

A quarantanni la professoressa Vitina Pèttica Borzí aveva cominciato la menopausa.

Per poco non c'impazziva. Lei sempre cosí misurata cosí irreprensibile nei gesti nell'andatura nelle mosse nella parlata una pazza sembrava.

Tanto che pure i ragazzi del liceo se n'erano accorti del cambiamento. Brusco repentino inspiegabile da un giorno all'altro.

La verità era stata detta dalla preside in un collegio dei

docenti dal quale mancava, eccezionalmente, la signorina Pèttica.

La preside a forza gliel'aveva strappata la confessione del suo strano malessere alla Pèttica, con promessa solenne di segreto e giuramento.

La verità era che la menopausa s'era abbattuta sulla professoressa come una tempesta a ciel sereno.

Niente avvisaglie niente indizi. Ma poi chissà – questi i commenti dei colleghi – se la Pèttica era in grado di capirli quei minimi segnali da cui principia la menopausa.

Il sangue scarsía (scarseggia) rosolía (si fa rosa) s'abbrudacchia (si fa brodaglia), quando sí quando no, e una femmina lo capisce qual è il discorso.

Ma la Pèttica le capiva queste cose? Era forse una femmina nel senso pieno della parola? C'era mai stata con un uomo a tu per tu da vera femmina? la risposta giungeva in coro: NO! NO NO!

Quell'anno al liceo la menopausa della Pèttica era stato l'argomento principe. Pure se era morto il santo padre Giovanni XXIII, nemmeno la morte del papa c'era riuscita a mettere in secondo piano la menopausa della Pèttica.

Le notizie arrivavano sempre dalla preside grazie alle confidenze in tutta segretezza della Pèttica.

Poi, di bocca in bocca, in un quarto d'ora facevano il giro del liceo, compresi alunni bidelli e custode.

Perché mai ci teneva tanto a rimandarla la menopausa la Pèttica visto ch'era arrivata zitella a quarantanni, in un paese in cui – Bulàla sulla costa – già a venticinque si era zitelle patentate?

Perché se le voleva tenere strette quelle mestruazioni, quel rigagnolo manso di sangue che piú sembrava piscio di passera laja, e che non le serviva a niente, se non a procurarle fastidi piccoli e grandi? (maldipancia diarrea eczema orticaria...)

Era un mistero il perché di quella disperazione della Pèttica, il perché gettasse i risparmi d'una vita passando da un medico all'altro, generico, però, che dal ginecologo non andava per vergogna.

Le maritate ci devono andare, non le signorine, diceva, e quando rimarcava la voce *signorine* non era un fatto puramente anagrafico. No, era un fatto d'illibatezza di verginità.

Il rimedio era stato trovato prima che fosse tardi, prima che da quelle viscerine secche aspre sciarose sparisse la piú piccola goccia di sangue.

Gli ormoni, solo gli ormoni le potevano ritardare la menopausa.

Solo gli ormoni ci potevano. E cosí era stato!

Già al terzo mese di cura la professoressa era tornata ad essere serena gentile, la Pèttica Borzí di sempre.

In primis gli alunni se n'erano accorti. La professoressa li lasciava copiare e leggeva in classe un fotoromanzo d'amore su «Grand Hotel», nascosto in mezzo al registro personale.

Segno che tutto era a posto. Che cioè il piscio sanguigno di passera laja era tornato a farsi vivo. E lei di conseguenza s'era rasserenata.

A questo punto sull'efficacia della cura non c'erano stati dubbi al liceo: miracolosa miracolosa! come non ce n'erano stati sull'improvvisa pazzia della Pèttica, ormai sufficientemente chiarita.

Restava però insoluto il quesito di maggiore interesse. Perché mai la tranquilla professoressa Pèttica non volesse rinunciarvi per nessun motivo, lottando con accanimento e ostinazione, a quel minimo scialbo scolorito insignificante segno di femminilità ch'erano le sue mestruazioni.

Quell'anno al liceo, assieme alla menopausa della Pèttica, era arrivato da Padova – che tormento per Sasà sentirsi rinnovare la piaga dal momento che il nuovo collega era di Padova città fatale dei suoi destini dei suoi travagli! dell'indimenticabile creatura amata Ada – un insegnante di chimica originario di Bulàla.

Lo scienziato lo chiamavano. Certi occhi lupigni con una pupilla nerissima a uncino in un'iride celeste che stanava da una boscaglia di capelli bianchi viscidosi, a dispetto del viso giovane e dell'età. Non piú di quarantanni.

Snidavano da tutte le parti quei capelli tesi come spaghetti, in fuga qua e là senza riguardo per occhi naso denti mascelle.

A malapena ogni tanto con un colpo di mano *lo scienziato* se ne riparava gli occhi lupigni, specie quando trafficava con gli acidi al laboratorio.

La Pèttica doveva esserne impazzita del nuovo collega, tanto da non vederne la forfora a chili sulla giacca, l'unto sul collo smanciuliàto della camicia.

Tanto da non accorgersi che, quando lo affiancava in sala professori, lui sforbiciando a gambe levate, con una spaccata da étoile, non si fermava un attimo.

Girava tre dieci cento volte attorno al grande tavolo rettangolare fino a che la Pèttica stanca non desisteva, abbandonandosi sulla poltroncina ad angolo.

La Pèttica si comportava come un'adolescente alla prima cotta. Cieca incapace di cogliere la vistosa riluttanza dell'altro.

Solo i foruncoli non faceva, data l'età, in compenso però faceva la menopausa.

Ma alla menopausa la Pèttica non si sarebbe rassegnata mai e poi ora che voleva a tutti i costi essere moglie e madre.

Questo nei suoi sogni naturalmente, perché l'atteggiamento dello *scienziato* riguardo alle fantasie erotico-amorose della Pèttica era assolutamente scoraggiante.

La scansava sempre come quando per strada si scansa – se si ha la fortuna d'avvistarlo per tempo – un gatto morto, a pancia in giú, sotto il marciapiede o la cacca lasciata dai muli.

A furia di ormoni era gonfiata tale che il corpo stesso scompariva dentro l'involucroso gassoso. Solo le gambe erano rimaste secche come canne, proprio le cannette di prima.

Certo era che la Pèttica non c'era riuscita a farsi sposare dallo *scienziato*, ma che all'ingozzo degli ormoni s'era tale abituata da assumerne ancora, proprio per un fatto d'abitudine.

Sasà si trattenne a stento dall'avvicinarsi alla Pèttica e salutarla.

Forse – pensò Sasà – anche la Pèttica non ci teneva a ricordarsene di quella sua vita al liceo, di quegli anni miserabili, non almeno in quella seratina.

Non con quel cielo azzurro che li divorava i pensieri i ricordi, quelli brutti e quelli buoni, le tristezze le miserie le ignominie come i moscerini quando annegano nell'acquitrino.

Certo i ricordi della Pèttica non dovevano essere un granché – pensò Sauro Azzarello un attimo prima di sventolarle da lontano, in segno di saluto, quelle dita magre come cerini nell'azzurría inquieta della sera quando soccombe al chiaro buio della notte.

Meglio lasciar perdere... meglio lasciar perdere... – se ne convinse del tutto Sasà, e con la mano pronta al volo nel dispiego delle falangi miserelle, accarezzò ancora una volta la testa di Rorò.

D'un tratto gli parve fredda piú del giusto la testa di Rorò, e – ora che ci faceva caso – le palpebre sembravano murate.

Da mezz'ora almeno non gli riusciva di vederli gli occhi azzurri di Rorò annacquati per via della malattia, ma sempre luccichenti d'una tale azzurrità che a Padova, da giovane, gli erano piovuti complimenti dalle ragazze venete e friulane, a destra e a manca.

No! non poteva essere... non poteva essere che Rorò fosse... no...

Il pensiero attraversò il cervello di Sasà con la furia della roncola sul grano maturo.

Sasà non poteva neanche dirlo «morto», seppure lo pensava che Rorò fosse morto dinnanzi a lui.

Proprio mentre lui gli parlava del mare giú sotto la timpa, dell'albero di Giuda, del tramonto impubere arrossato come le guance delle vergini, della menopausa di Vitina Pèttica Borzí, e d'altre cose che il Cataratta, in una, avrebbe definito *minghiate*.

Sasà s'accaní su Rorò con tale forza a lui sconosciuta e al suo corpo medesimo, con tale una furia che un grosso lacrimone sgrondando da sotto il ciglio chiuso di Rorò ne disserrò di botto le palpebre murate. E riapparvero di colpo gli occhi grandi azzurri affacciati al ciglione inferiore.

Vivo era Rorò... vivo mentre lui, Sasà, aveva creduto di morirci di quello spavento.

Sasà Azzarello abbandonò al sedile di ferro la sua figura sottile elegante leggiera come una pupetta di paglia, di quelle che avevano per giocarci le bambine povere, le figlie dei braccianti a giornata.

Mentre sull'occhio destro, occiduo per la paura, pendeva un pennacchio dell'albero di Giuda.

Poi guardò Rorò, muto, col solo lampo degli occhi piccoli neri, come a dire: – Che mi combini Rorò? morto mi vuoi vecchio mio? che scherzi sono questi?... Ti sei ammattito? Guarda che il pazzo io ero tra noi due... quello che faceva stranie tu invece quello normale eri... che ti vuoi prendere la mia patente di pazzo stravagante ora, ora che non ne faccio piú pazzie? Ora che sono vecchio, ora che sono anch'io piú di là che di qua? Te ne volevi andare? proprio ora che Maddalenina è morta e ce ne possiamo stare in pace alla Villa senza rogne senza pensieri a guardare i piccioni in cielo, a sentirla la furia delle onde all'orizzonte? ad ascoltarle le menzogne della sera sussurrate piano dal vento, e fare finta di crederci? Questo dolore mi volevi dare Rorò mio? A me questo dolore? a me che ti voglio bene da sempre, lo sai vero?... a te voglio bene solo a te a te capito? E poi neanche la mia cassa da morto ti potevo dare, Rorò mio, se pure a te con tutto il cuore te l'avrei data. Maddalenina, quella gorgone, se l'è fregata morendo lei prima di me. Sí la cassa che avevo comprato per me, per giacervi io da morto. Scelta meticolosamente secondo il mio gusto. A lei è andata la mia cassa, proprio a lei.

La storia della cassa da morto era andata cosí.

Subito dopo il suicidio del collega Pisanò, poi che tanto l'aveva ammirato quel gesto, Sasà Azzarello s'era comprato con la tredicesima di Natale una cassa da morto. Di legno scadente, non di noce scolpita né con le borchie di bronzo.

La cassa avrebbe dovuto avere medesima funzione che l'albero di Giuda la corda e il resto.

Quella, cioè, d'affezionarcisi all'idea d'ammazzarsi, e trovarla infine una stigghiola (un budellino una briciola) di coraggio in quel suo cuore pavido, di pecoro.

Non solo quello era stato il motivo, però, a giudicare dalla moglie che gli era capitata e dai figli sciagurati che lui sciaguratamente aveva messo al mondo. Sasà era convinto che se gli fosse venuto un infarto, o altra causa di morte istantanea, moglie e figli l'avrebbero scaricato nel vallone dell'immondizia fuori paese.

E poi upupe e randagi le avrebbero sbrindellate le sue carni, a unghiate a morsi azzannandolo quel *capitale* che, grazie alle menzogne di suo padre Cornelio era stato unico vanto di tutta la sua vita.

Quegli occhi sparvieri dei suoi figli, tali e quali la madre, Sasà se li sentiva addosso, indentro la carne, come zecche, anche quando non c'erano.

Figurarsi quale scrupolo potevano mai averci col suo cadavere quelle sanguisughe quelle animacce sconsacrate!

Sasà voleva che i vermi lo finissero il suo corpo mingherlino, che pure un animo grande titanico aveva racchiuso.

Sí ai vermi. No a upupe e randagi tra l'immondizia (un pomodoro marcio sull'occhio, una lattina dietro l'orecchio...)

Proprio per il fondato timore di finire tra le immondizie fuori paese, Sasà s'era messo al sicuro, comprandosela con i suoi risparmi e il suo sacrificio una cassa da morto.

L'aveva sistemata proprio sotto il suo materasso, perfettamente allineata alla lunghezza del suo corpo.

Di notte, se ci pensava, allungava un piede la toccava col calcagno, ci si grattava l'allergia alla caviglia.

Ogni tanto – questo quand'era certo d'essere solo – la tirava fuori e ci si infilava dentro (qua ci va un poco d'ovatta... in fondo a destra ha fatto la ragnatela... dalla parte della testa ha fatto l'umido...)

Per essere una cassa da morto, non era male, quasi comoda. Solo che di anno in anno il suo corpo rattrappendosi negli arti, incugnandosi negli ossi, s'era tale rimpicciolito, tale avvitato che la cassa sembrava smisurata a fronte di membra cosí misere effimere.

Negli ultimi dieci anni Sasà, poi che faticava a curvarsi sotto il letto – le giunture delle sue ossa erano zichiniate (a serpentina), attorcigliate, storte come i rami del nespolo quando non si orientano per tempo – non l'aveva piú tirata fuori.

Ogni tanto ci s'infilava la gatta di Maddalenina, rognosa tragediatòra infame come lei.

La gatta ci spidocchiava ci faceva il bisogno e qualche volta ci dormiva pure.

Sasà la guardava di soppiatto, inferocito, aspettava il

momento giusto e le tirava dietro le scarpe di coppale della laurea con la naftalina dentro.

Solo, però, quando Maddalenina stendeva la biancheria sul terrazzo e non poteva sentirlo quel miagolío di píttima della bestiaccia.

Poi si tranquillizzava pensando che prima o dopo tanto la cassa toccava a lui.

Era un dato di fatto innegabile. Lui se l'era impegnata, lui l'aveva scelta, lui s'era quasi schiacciato una vertebra della schiena per salircela al primo piano!

Se fosse dipeso da quegli inetti allampanati figli che aveva generato addio cassoni di lauro! addio candelabri coi ceri! addio lenzuolo ammollato d'acqua sublimata! addio stagnajo a saldare la lastra di zinco sulla cassa!

Il cielo indorava dell'ultima luce del tramonto. Una luce mansueta giacché le fiamme del crepuscolo s'erano fugate proprio in quello specchio d'acque dove pulsava toc toc toc toooccccc il cuore del mare.

Sasà forse rinfrancato dallo scampato pericolo riguardo a Rorò credeva di sentirci anche dall'orecchio sordo. Quell'orecchio che da due anni se ne stava solingo astioso ostile alle voci del mondo.

Il cuore del mare lo sentiva cosí forte Sasà che l'aria stessa pareva tremarne. Qualche sedile in là cinque o sei vecchi facevano le loro quattro chiacchiere come sempre.

Pulsava ch'era una bellezza quel cuore, e l'orecchio di Sasà pareva averla vinta la sordità, pareva ridestarsi al mondo alle sue voci pur di non perderlo quel battito tra gli scogli neri divorati dalle alghe: aguzzi alcuni, muscosi e levigati altri per via che l'onda azzuffandovisi rimbalzandovi tra risucchi crepe e gretole li aveva ammansiti.

Ora che lo sapeva vivo Rorò, anche la signorina Pèttica Borzí addentro il suo pallone di gas, nel riverbero del tramonto, da sotto la mano a solecchio, sembrava bella a Sasà e forte di questa constatazione Sasà pensò che, per analogia, non era affatto cosa certa la sordità del suo orecchio destro.

Se Vitina Pèttica Borzí, mostruosa nelle sue esilissime gambette da cicogna, poteva sembrare bella un attimo dopo averla detta brutta, solo perché il giudizio di bellezza era influenzato dal cangiamento repentino del suo stato d'animo – dall'angoscia alla felicità – medesima considerazione poteva valere anche per il suo orecchio. Sordo e non sordo a un tempo a seconda del suo umore.

Questa era una pensata filosofica niente male. Suo padre il Cavaliere Cornelio Azzarello Direttore didattico ne sarebbe stato fiero pure a non capirci niente.

Eppure era chiaro e semplice il postulato di Sasà Azzarello, filosofo per talento e suicida per vocazione. In due parole: si è sordi nell'anima non nell'orecchio, tanto per fare un esempio. L'orecchio sempre ci sente ché a quello è deputato. La sordità è un fatto di testa, alias anima. L'anima alcune stronzate le getta via, altre le trattiene con grande cura. Fa da filtro l'anima, in un certo senso come succede col colino del caffè. Consegna il liquore buono profumato, trattiene la feccia secca e incarognita... Anche per la bellezza valeva il postulato. Uno è bello poi brutto poi bello ancora, bellissimo e brutto. Dipende da chi lo guarda o meglio dipende dalla voglia che uno ha di vederci una cosa e non un'altra – pensò Sasà.

Cosí succedeva che la professoressa Vitina Pèttica Borzí, mostro un attimo prima ai suoi occhi, diventava bella un attimo dopo, pure se gli occhi erano medesimi.

Era *il prima e il dopo* essenziale a definire il giudizio di bello e brutto. O meglio quello che stava in mezzo tra *il prima e il dopo*.

Nel caso della signorina Vitina Pèttica Borzí l'improvvisa intuizione, l'epifania dalla sua insospettabile bellezza era conseguente alla liberazione che l'anima di Sasà provava a seguito d'uno scampato pericolo.

Un dolore che per un attimo infinito eterno gli aveva raggelato il sangue nelle vene. Gli aveva fatto vedere il mondo intorno sottosopra. Né capo né coda.

Poi che Rorò non era morto (oltre alla lacrima anche i suoi visceri avevano dato segni di vita intronando nella cavità addominale con faconda attività eruttivo-gassosa) e il sangue di Sasà lento lento aveva preso a sciogliersi, goccia a goccia, come quello di santo Vito nell'urnetta, la signorina Pèttica Borzí era sembrata bella a Sasà. Cosí un detto e un fatto.

Bella anzi bellissima nell'afflitto lume del tramonto che ci moriva tra scogli bruni vegliati appena dalle lampare in lontananza verso Balatazze o Scoglitti.

Rorò era vivo? e allora la Pèttica Borzí poteva sembrare bella anzi bellissima.

Ci voleva tanto a capirlo? si chiedeva Sasà contristandosi già solo al pensiero delle mille opposizioni, dei qui pro quo – per non parlare dello sfottò – del Cataratta, se fosse stato presente al suo ragionamento. Ma per fortuna non c'era.

In primis il Cataratta avrebbe detto:

– Quale raggionamento e raggionamento! Cosí si raggiona? – sí due **g** se non tre per dare piú forza alla parola che pronunciata con una, per come si scriveva, ci perdeva, si femminiava e non pareva piú quel concettone che invece era! – queste minghiate si chiamano! poi se uno le vuole chiamare raggionamenti (sempre due **g**) padronissimo! mica paga il dazio per questo... padronissimo di chiamarle come vuole ma il succo non cambia, la mazurca sempre quella è: minghiate sono e minghiate restano.

Che il Cataratta spiccicato sacrosanto avrebbe sentenziato in questo modo, Sasà ne era certissimo.

Ma dannazione! ci voleva tanto a capirlo?

La signorina Vitina Pèttica Borzí era un mostro se si dimostrava che Rorò, dietro l'appannaglio delle palpebre murate, era morto. In viaggio al Creatore.

Ma Rorò era vivo – benedetto quel lacrimone purulento e quella scorreggia rintronante che aveva fatto scappare tutt'un colpo dall'albero di Giuda passeri passerini cicale grilli e piccioni! – E questo modificava ogni cosa.

Questo legittimava ogni metabolè riguardo alla quaestio estetica sulla signorina Pèttica che poteva dirsi bella bellissima proprio in virtú del fatto che Rorò se ne restava vivo sulla carrozzina. E su questa terra.

Morto Rorò la Pèttica si poteva dirla un mostro con corpo d'*orcinus orca* e gambe da cicogna.

Vivo Rorò, bella bellissima a dispetto della bolla d'aria addentro la quale levitava come nell'uovo l'embrione del pulcino quando la cova si raffredda.

Il concetto era chiarissimo.

– Vero Rorò? vero Rorò? è cosí non è vero?

Sasà ne chiedeva conferma al cugino Rorò, ora che lo sapeva di nuovo vivo, grazie all'ebollizione dei suoi visceri. Vivo sia pure in quella sorta di vita, se mai vita era.

Quale spia quale segno poteva intendersi come conferma da parte di Rorò alle domande di Sasà, compreso l'ultima in ordine di tempo?

Un rutto un singhiozzo una lacrima un canalone di bava dal labbro inferiore, che il declinare perenne del liquido aveva rivoltato sul mento, allisciato come certi lastroni lavici che la rapina delle onde marine rende lucenti.

Insomma ogni minimo segno che valesse a spezzarlo quel silenzio di morte, quell'incantesimo che teneva Rorò inchiodato alla carrozzina, nelle membra sconsolate per l'esilio dell'anima. Imprigionate dalla malattia, neglette da ogni vigore di nervi. Uno starnuto, sí certo anche, un colpetto di tosse, uno sputo, un mugolío di catarro dentr'al petto poteva bastare.

O qualunque altra violazione, qualunque profanazione che infine lo squarciasse quel silenzio torbo muto disperato.

Che infine lo facesse sentire, se pur lieve impercettibile minimo, l'alito della vita in quell'ammucchio di carne budella ossa che immote giacevano sulla carrozzina.

– Un minuto Rorò solo un minuto... un minuto ancora e ce ne andiamo... sicuro – assicurava al cugino Sasà con l'ostinazione di chi non s'arrende all'evidenza nemmeno quando l'evidenza si chiama trombosi paralisi.

La verità era che Sasà, quella sera, proprio non se ne voleva andare dalla Villa Regina Margherita.

Non lo voleva lasciare l'albero di Giuda che l'estremo sguincio del sole indorava nella calugine dei rami possenti maestosi.

Poi il cuore del mare quella sera da sotto l'albero di Giuda l'aveva sentito come non mai. Altro che cuore! uno sbotto a lava della montagna sembrava.

A casa non c'era nessuno ad aspettarlo – per fortuna – solo la tartaruga Giuda.

– Oddio! – gridò Sasà. E giú una bella botta a palmo aperto con la mano destra sulla fronte seccagna saracina...

Oddio! Già, la tartaruga Giuda! chissà! se anche lei aveva fatto la fine delle altre sfracellandosi sul basolato nero della strada, per via che Sasà se lo scordava sempre di chiuderla la porta del terrazzino della cucina prima d'uscire.

Tutte quella fine avevano fatto, le altre tartarughe, e sempre dalla cancellata del terrazzino, per colpa sua.

Poi Sasà ne raccattava per terra un po' di guscio, una zampetta, una fettuccia d'interiora. Quello che riusciva a sfuggire alla suola ruvida delle scarpe dei passanti, e alle ruote delle macchine, sbirciando con cura nella strada alluttata, se non c'era la luna, vegliata a mala pena dall'incerto lume d'un unico lampione.

Certo la vita è cosa assai strana – pensava Sasà Azzarello riguardo alla morte delle tartarughe.

Ipso facto morivano, pure se non s'erano ingegnate a morire, pure se sul terrazzino cercavano solo foglie di lattuga e acqua, forse affatturate dall'aria zagarúsa del cortiletto accanto con la grande pergola cosí rigogliosa che le canne vi si curvavano non poco sotto i grappoli tosti dell'uva acerba.

Lui, invece, che in tutti i modi se l'era cercata la morte non ci riusciva. Da cinquantanni ci provava a morire ma niente. Niente.

Quelle, mentre, le tartarughe, una vera fortuna! brrrobbrrrorobbbbò ed erano belle e morte.

Senza sforzo senza stratagemmi né strategie, con l'unica involontaria complicità di Sasà che, sbadato com'era, lasciava socchiusa la porta del terrazzino.

Sasà ci provava a ricomporre il cadavere della bestiola ma non ci riusciva perché una zampa era finita nel tombino, un'altra tra la schiusa delle basole, la testa chissà dove!

Infine, dentro la carta del pane, quel po' di guscio avanzato e il resto finivano nella spazzatura assieme agli avanzi della cena, alle lische della picaredda (madonna! quante lische la picaredda ma costava niente e Sasà la comprava spesso alla pescheria).

La spiegazione forse era questa e gli sovveniva tutto d'un tratto, a Sasà. Troppo tempo ci aveva perso addietro al suo suicidio, troppi pensieri, troppi vaneggiamenti, troppi propositi spropositi, e quello per tutta risposta – quello naturalmente era il suo Suicidio – gli aveva fatto stirare la lingua. Marameo! gli aveva fatto lasciandolo allampanato e tramortito come un moscone quando affonda in una pozzanghera.

Su giú muore non muore sgrilla un'aluccia l'altra soccombe poi subissa sassificato.

Un attimo dopo – oilà – svolazza a pesce e ronza meglio di prima. Con qualche peluzzo natante addosso.

La stessa cosa era successa a Sasà. A meno d'un palmo c'era stato dalla morte (pensava alla pistola all'annegamento all'impiccagione) ma per un verso e per un altro non gli era riuscito di concludere.

Ed ecco che ancora era lí. A settantanni era ancora lí a spingere la carrozzina di Rorò, ad ammazzare (omicidio colposo comunque involontario o forse sotto sotto invece...) tartarughe, a strisciare carponi sobbalzelli sotto la verandina.

A scansare il vaso col basilico di quel suo figlio balordo che, morta la madre, aveva preso l'aria dei cani idrofobi prima d'azzannare la vittima, quando ringhiano con la gola pinzata ammuticúna (silenziosamente).

Ancora lí a farsi fregare la cassa da morto che gli era costata una tredicesima da Maddalenina.

Quella cagna raggiàta che non contenta di mortificarlo a ogni momento col feroce immondo spettacolo crudele del suo corpo goffo sgraziato, della sua caviglia tracimante obesa, dei suoi seni a ticchitícchi (secchi sparuti), pure la cassa gli aveva fregato morendo prima di lui e senza sforzo. Un vero tranello, un tradimento.

Un attimo prima a girare la minestra di cavolo nella pentola d'alluminio, col fazzolettaccio sulle tempie annodato dietro la nuca.

Un attimo dopo, mentre s'apparecchiava a fare i piatti, col forchettone in mano, cracccchhh a terra, gli occhi di fuori che quasi ci s'infilavano i denti del forchettone.

Forse un'emorragia cerebrale. Forse un infarto.

La questione, però, non era stabilire le cause della morte di Maddalenina.

Magari fosse morta prima – pensava Sasà. E in quell'avverbio *prima* c'erano cinquant'anni di pene torture dissanguamenti sfinimenti patimenti supplicia degni del martirio dei primi cristiani.

Naturalmente rivolti a lui, e l'assurdo era proprio che avendogliela data in moglie suo padre Cornelio – buonanima – per scansare il pericolo dell'Ada la friulana, il suo unico amore dalla coscia infinita, Sasà non aveva mai fiatato per non dargli un dispiacere.

Aveva ingoiato veleno, giorno dopo giorno, con la rassegnazione di chi sconta una condanna a vita.

Cornelio Azzarello, quantunque lo stoico silenzio di Sasà, tutto aveva capito, già dal primo giorno dopo il matrimonio.

Una volta un occhio nero, un'altra mezza faccia bruciata fino alla terza pelle, un'altra un canino rotto, un'altra... un'altra... e poi un'altra ancora... a quel povero figlio sfortunato che con la moglie pativa quanto il Cristo in croce...

Cornelio, poi che a Sasà non piaceva parlare dei ferimenti che gli procurava Maddalenina – anzi era abbottonatissimo – se n'usciva con commenti del tipo: – Me l'avevano assicurato ch'era una buona figliola... il maestro Porrovecchio me l'aveva garantita... certo quel miserabile si voleva vendicare della visita fiscale... e io fesso... fesso – e a questo punto una botta sulla fronte che non poco gli sconzava le arcate sopraccigliari.

– Non mi dovevo fidare ché quello l'acido aveva con me... sicuro l'acido a ettolitri... ma poi il nome stesso **Maddalenina**: sicuro mi pareva un nome sottomesso da ragazza per bene che sta sotto i comandi del marito... che non pipitía – e un'altra botta a cinque dita sulla guancia destra che non poco gli sconzava l'osso mascellare...

– Quell'altra, **Ada**, un nome da cavalla aveva, non da cristiana... AAADA (e lo ripeteva tale e quale, Cornelio Azzarello) che nome è mai questo? – e s'atterriva a quel nome che doveva suonare alle sue orecchie di emerito Direttore didattico né piú né meno che MACISTE POLIFEMO CLEOPATRA MESSALINA e qua si fermava ché le sue conoscenze di mito e storia non si spingevano piú in avanti.

A distanza di un anno e passa dalla morte di Maddalenina Sasà Azzarello, per quanto uomo generoso generosissimo dal cuore d'oro, non ci poteva pace che la sua cassa da morto se la fosse fregata quella strega di Maddalenina!

Lui la doveva incignare! Steso laddentro come un pascià. Il segno della corda in bella mostra sul collo bluastro (sí, si sarebbe visto il livido, a giudicare dallo spessore della corda).

Le scarpe di coppale della laurea belle lucide (se almeno una volta per quella occasione speciale unica si fosse convinta a lucidargliele Maddalenina!)

La figura composta pur nello spasmo d'una morte violenta, il corteo funebre con colleghi alunni ed ex alunni appresso alla bara in fila fino al Camposanto.

E invece no! Maddalenina, morendo prima di lui, gli aveva fatto l'ennesimo torto, l'ennesima botta di veleno, fregandosi la cassa da morto che lui teneva sotto il letto, dalla parte sua, da piú di trentanni.

Con che coraggio! Con quale cuore!

Queste sono le buttane... – pensava Sasà ormai sul punto di schiodarle dal sedile della villa quelle sue osse ferrose, aggramagliate, declinanti sempre piú dalla minima carne che le accucciava.

... Quelle che ti fregano insino la cassa da morto... senza ritegno che ti rubano un bene cosí personale intimo.

Sasà a quel punto pensava a quanto aveva penato per scegliersela la sua cassa da morto. Non una qualunque, ma la sua.

Con caratteristiche che dovevano rispecchiare fedelmente i suoi talenti, i suoi patemi, i suoi mortificati aneliti.

Dal titolare dell'agenzia funebre *La Celere* c'era stato un'infinità di volte a chiedere informazioni, consigli, a formulare dubbi considerazioni critiche perplessità sul legno sulle brutte sculture a macchina, malamente incollate, sul peso il colore la resistenza alle muffe all'umido.

E quello, poi che s'era mangiata la foglia, dopo averci perso due o tre giorni appresso a Sasà, sempre *sí* gli diceva, *sí* questo *sí* quello mentre con la testa pensava ai servizi funebri della giornata, alle ghirlande (uno le voleva di garofani a sparacino uno di gladioli uno con fiori di seconda mano per spendere poco...)

Sasà tutte le aveva provate le casse all'agenzia funebre. Alla fine proprio sotto Natale – era il '65 – s'era deciso per quella meno appariscente.

Era semplice ma elegante, piccola ma slanciata sobria ma pensierosa proprio come lui.

Sasà era arciconvinto che la scelta della cassa da morto fosse faccenda serissima.

Anche per questo aveva voluto pensarci da sé mentr'era in ottima salute, sebbene quelle occhiaie profonde e l'incarnato color melenzana facessero sospettare una brutta cirrosi epatica.

Niente di piú falso. Lui stava benissimo e la cassa da morto l'aveva scelta proprio di vero cuore.

– Per un vestito un paio di scarpe una cravatta si gira il paese... tutti i negozi... prova e riprova... è chiaro è scuro... il doppiopetto... le scarpe sono strette... il mocassino no... l'impuntura piú chiara piú grossa piú lenta... e per una cassa da morto che è il bene piú intimo piú personale no? ci devono pensare gli altri con un acquisto distratto dovuto solo alla fretta, un impiccio di cui liberarsi al piú presto? Una vera follia! – aveva cercato di spiegare Sasà, giustificando l'acquisto della cassa da morto, al Cataratta che in quell'occasione l'aveva sfotticchiato per almeno sei mesi con una faccia seria seria di chi se l'ammucca (ci crede seriamente).

– ... Sicuro che ti sta bene Sasà? te la sei provata con comodo? non è che ti va stretta d'ascelle... lo sai che ci devi fare una vita là dentro...!? mica è un materasso che te lo cambi quando vuoi... cassa da morto è... per la vita è... affari tuoi...

Le diceva cosí serio il Cataratta queste cose che il Bronzino – il piú muccalapúni (credulone) del gruppo – afferrati i coglioni con entrambe le mani (compresa la manina finta di legno) non li mollava piú. A levarsela di torno la morte.

Aveva ragione il Cataratta d'insistere cosí tanto sulla sua scelta riguardo alla cassa da morto – si diceva sotto l'albero di Giuda Sasà che pure s'erano passati trentanni lo credeva serio quella volta il Cataratta, sinceramente preoccupato per lui.

E quella sciagurata di Maddalenina, che niente gli aveva risparmiato, quale ultimo sfregio d'una serie di sfregi torture lunga quasi mezzo secolo aveva pensato bene, da quella bandita predatrice qual era, di fregargli la sua cassa da morto.

Senza che lui Sasà potesse accennare una protesta, senza dire una sola parola, senza pipitíare ché in un lampo la casa s'era riempita di gente.

Parenti vicinato e poi grida stupore esclamazioni interrogativi: – Maddalenina è morta? come? quando? non è possibile... la biancheria in terrazzo stendeva sul filo un attimo fa... le mollette di legno a due a due con le labbra le teneva...

Cosí Sasà senza dire una parola aveva subito il furto della cassa da parte di Maddalenina. Muto, pure se il suo cuore ululava sbraitava piú della mareggiata nelle notti di grecale.

Una vendetta però Sasà – poi che rinunciava con grande sconsolazione alla sua cassa – se l'era presa.

Non aveva fiatato nel momento in cui i parenti stretti avevano alloggiato Maddalenina nella cassa, adattandolo quel corpo grasso con enorme fatica come quando il tritato della carne di porco lo si adatta a forza dentro il budello per farvi la salsiccia.

Forzandolo il budello che, sulle prime, non ne vuole sapere. Appiccica appiattola allampa da tutte le parti. Poi poco a poco prende forma.

Cosí era stato per Maddalenina. Ne adattavano la coscia subissandola in un canto della cassa, ed ecco che sgrillava un fianco.

Insomma tali erano state le fatiche per accovarla nella cassa che nessuno ne aveva ispezionato le pareti il fondo gli angoli come si fa sempre per scrupolo.

Sicché Maddalenina era stata accoffata tra gli escrementi vecchi della gatta che inutilmente per anni Sasà aveva cercato di centrare dritto nella colonna vertebrale lanciandole addosso le scarpe di coppale della laurea, la bomboletta del didditti, il vaso da notte.

E, se proprio non aveva null'altro a portata di mano, il *Simposio* il *Fedro* di Platone o l'*Etica Nicomachea* d'Aristotele. Pur con tutto il rispetto e per Platone e per Aristotele.

Questa era stata la vendetta di Sasà su Maddalenina che gli fregava la sua cassa, dio sa con quanto affanno con quanta cura con quanta sollecitudine preparata a che fosse di suo piacimento, di sua totale soddisfazione.

– Rorò te la ricordi Ada... vero che te la ricordi? – riprese Sasà convinto che una creatura come quella mai e poi mai si potesse scordare.

Nemmeno ad averci tre ictus com'era successo a Rorò. O cento.

Quando Sasà pensava all'Ada – almeno dieci volte al giorno – quel ricordo gli penetrava ossa-cuore-polmoni con tale fitta come la fiocina d'un subacqueo quando penetra in una spigola sventrandola a morte. Pure se il foro d'entrata è appena piú grande d'uno spillo.

– Eppure che carognata m'hai fatto quella volta Rorò... un segreto doveva essere... e te la sei cantata... Ah carognetta che forse se non era per te... che se non lo mandavi quel telegramma in Sicilia... che se mio padre Cornelio non ce l'avesse avuta la fissazione dell'onore che se... forse... ma che... se... oh oh.

A quel punto dei *se* dei *forse* e degli *oh oh* Sasà avrebbe potuto proseguire all'infinito.

Di fatto per cinquantanni s'era scervellato dietro a quella faccenda dell'Ada.

Neanche i guai di Maddalenina, né le sue frittate bollenti sugli occhi gliela avevano fatta scordare.

Ma, piú che l'Ada in sé e per sé, per quanto fosse una bellissima ragazza, dritta come una pertica, piú che la passione devastante nutrita per lei, era la questione filosofica con annessi e connessi amletici dubbi interrogativi quella che senza tregua continuava a torturarlo nel tempo.

A torturarlo o a bearlo, a seconda da come si considerava la faccenda. Ma forse è piú giusto dire a torturarlo e bearlo a un tempo.

Perché di quell'amore perduto, di quell'unica creatura amata, di quello strazio ortisiano, di quel dolore feroce, di quell'inesausto rimpianto, di quella inesauribile rimembranza Sasà aveva fatto tale argomento di declamazione, di *loci* letterari, di comparazioni, di palpiti, di resurrezioni da passarci tutta una vita.

Per tutta una vita quell'amore quella sofferenza quei patimenti avevano alimentato – unico inesauribile viatico – quella naturale vena d'autocommiserazione, quel talento al compianto di sé che madrenatura generosamente aveva donato a Sasà.

Ecco perché a buon diritto si può dire che la «faccenda» dell'Ada era la croce e la delizia di Sasà Azzarello.

È fondato sospetto che Sasà Azzarello, già dopo qualche anno dalla rottura del fidanzamento, della ragazzotta friulana nata in un paesino delle prealpi Carniche non ricordasse nulla o quasi.

Almeno riguardo all'Ada in carne e ossa. All'Ada come madrenatura l'aveva fatta.

Una volta gli occhi se li ricordava cilestri... *piú del cielo quando Aurora vi giunge sul carro dorato... piú del mare quando di vergini onde cinge la costa bruna ingrata... piú... piú... piúúúúú.*

Un'altra neri *come il carbone quando fumía tra tizzoni ardenti... come il chicco rugiadoso dell'uva... come... come...*

Un'altra muscosi *come le castagne marroni,* un'altra glicinosi...

Tanto che il Cataratta già allora – erano poco piú che ventenni – non dava tregua a Sasà, non gliene faceva passare una che fosse una e interrompendo bruscamente l'estasi delle sue rimembranze veneto-friulane gli diceva:

– Sasà deciditi... o celesti o neri o marrone una volta per tutte però... come ce li aveva questi occhi si può sapere infine? e se non lo sai tu...!!! chi lo deve sapere? A me mi pare che ce li aveva celesti gli occhi, come le gatte, quella volta che la portasti da Padova d'estate in agosto la friulana... un caldo quell'annata... un'afa anche i porci nel porcile sudavano... ma io da lontano la vedevo e poi piú le cosce ci guardavo che gli occhi...

E Sasà pensava a quale infernale spaventoso caldo c'era stato quell'anno, e anche a suo padre Cornelio che le limonate col ghiaccio e lo zucchero se le scolava direttamente dal boccale di ceramica, per via che la pressione gli saliva alle stelle e poi, di botto, precipitava facendolo collassare due tre volte al giorno.

Due litri di limonata, ogni volta senza riprendere fiato, e quando ci perdeva un minuto, pure qualche moscone di quelli verdastri ingoiava assieme al pilucco della spremuta. Quel poco di polpa dei verdelli che resta al fondo aggilippàta di zucchero.

Una volta che l'aveva svuotato d'un fiato il boccale con tutto il ghiaccio a pezzi a momenti c'era morto Cornelio, ché gli s'era bloccata la digestione ed era rimasto per almeno mezz'ora bianco cereo un cencio da spolverare. Con due occhiaie niurofumo che parevano disegnate col compasso.

Poi solo in serata gli s'era liberata la bocca dell'anima con un rutto tale pauroso che pure la gatta era scappata dai piedi di zia Carolina, e tutta la sera dal terrazzo aveva miagolato d'un miagolio opprimente come la cantilena per i morti.

Sí, forse il Cataratta – pensava Sasà – ragione aveva nel dire che non se la ricordava piú l'Ada, nel senso meschino del puro dettaglio fisico carnale. Occhi naso zigomi...

Ma quanto al resto! (che poi era quello che contava veramente d'una persona) – pontificava nei suoi esercizi di sofistica da retore consumato Sasà – la sua essenza, l'alone, la sensualità, il pondus della foemina, cioè il peso della sua femmineità... et cetera et cetera... eccome se se ne ricordava dell'Ada!

E questo era il momento in cui il Cataratta sbottava; tieni tieni alla fine scoppiava come il tappo di sughero quando si agita troppo la bottiglia dello spumantino.

– È l'impressione d'una femmina quello che conta... è la sua idea la sua suggestione... è quell'aura apollineo-dionisiaca che... è... è...

Queste affermazioni sballate, queste presunzioni da filosofo del cavolo per il Cataratta erano veramente troppo.

– La pazienza è dei santi – diceva il Cataratta che santo certamente non si credeva e che quell'*aura apollineo-dionisiaca* proprio non la digeriva.

Gli restava alla bocca dell'anima come la limonata col ghiaccio di Cornelio Azzarello quella volta che stava per morirci d'una congestione intestinale e piú ancora di terribili sovrumani dispiaceri.

E come ci godeva nel confonderli Sasà con quella dell'*aura apoooooll* boooh?!

Il primo pezzo se lo ricordava il Cataratta a furia di sentirlo dire, quanto alla fine niente da fare.

Cosí giunti all'*apoooooollll* ci pensava lui a sgonfiarlo quel pallone di Sasà.

– Che minghia dici Sasà? te la sei scopata o no la friulana? Tuo padre, santo Ruffiano, pure la stanza sua matrimoniale ti mise a disposizione... Di quali idee parli? quella *cosetta* lí che hanno le femmine in mezzo alle cosce *sticchio* si chiama non idea! Neanche questo t'hanno insegnato all'università? Neanche un po' d'anatomia conosci? tutte balle quelle sul tuo *capitale* lo sapevo io lo sapevo... il cuore me lo diceva... balle balle balle su balle... ora insomma una volta per tutte te lo spiego io: nelle femmine *sticchio* si chiama nei maschi *capitale*...

E proseguiva il Cataratta, fiero delle sue conoscenze in tema d'anatomia pubero-inguinale coll'affermare: – E dire che l'unica cosa che conta nella vita non la sai... minghiate a non finire sai... uhhhuhhh ma queste cose, le prime che uno deve sapere per vivere da uomo al mondo, non le sai...

Sasà ribolliva nel vedere sconsacrata da un bestione zoticaccio villano quella sua sofferta *Vita Nova* padovana. Un falegname – scarso per giunta – ripizzàro (accomodaticcio) e fruscialòro (frettoloso), indegno sinanche d'ascoltarli i suoi struggimenti d'amore, i suoi dolori, le sue rime, i suoi madrigali i suoi sonetti.

Però la voglia di raccontare la sua storia d'amore e passione con la friulana, di raccontarla all'infinito, fino allo spasimo, era per Sasà tale forte e imperiosa che nemmeno il recidivo sfottimento del Cataratta, le sue allusioni, la sua grettezza, la sua grossolanità, la sua carnosità riuscivano a dissuaderlo dal ricominciarla tutta daccapo. Ogni volta per filo e per segno.

E questo chiarisce senz'ombra di dubbio cosa fosse l'Ada, cosa rappresentasse la friulana all'interno dei letterari dolori del giovane Sasà.

Il Cataratta e gli altri, centomila volte, se non piú, l'avevano sentita. Ogni volta erano particolari inediti, ricordanze o fantasie, sproloqui protuberanze sentimentali procefalíe erotiche, appendici amorose probabilmente inventate di sana pianta. In tutte le salse l'avevano sentita la storia con l'Ada. Ivi compresi alcuni episodi che tornavano sempre, piú o meno medesimi, se non per qualche esagerazione dovuta al suo talento innato d'attore.

Come l'equivoco sulla presunta verginità dell'Ada che invece vergine non era.

Il premeditato omicidio ai danni del carabiniere palermitano, anche lui a Padova per servizio, ch'era stato il primo uomo dell'Ada.

Delitto studiato per mesi da Sasà, che avrebbe dovuto vestire i panni del delitto d'onore, con tre anni circa di ritardo dall'avvenuta consumazione dell'amplesso, che comunque aveva lasciato nella friulana piena soddisfazione.

Il tutto conclusosi poi con un niente di fatto, per quella naturale vigliaccheria di Sasà che lui chiamava, scomodando la sua perizia in tema di litoti, mancanza di coraggio.

O ancora, il tentato suicidio dell'Ada con l'acqua di piombo, i suoi giuramenti, imposti da Sasà, presso tutti i cimiteri della zona sulle lapidi piú sacre – giovani spose soldatini neonati.

Il meditato suicidio di Ada in un canalone di Padova, i ripensamenti, i rimandi, la venuta in Sicilia, il fallito suicidio, assieme all'Ada, nello stagno laghetto con acque infime alla periferia di Bulàla, dove gli Azzarello avevano un modesto vigneto e una casetta rustica accomodata.

La rottura definitiva, i due anni della sua clausura forzata nella casa di Bulàla vicino alla Piazza, eccetera eccetera.

– Rorò la senti quest'arietta? ora ti copro le spalle ché quello è il punto piú debole specie per chi sta fermo come te.

Sasà faticava non poco nell'adattare la giacca di lana abbottonata sul davanti al corpo morto di Rorò.

Sul petto gli poggiava una mano ad evitare che Rorò cadesse in avanti, pure se una grossa cinghia lo tratteneva per la vita alla carrozzina.

Ma Rorò pesava almeno cento chili, e cosí Sasà prendeva quell'altra precauzione in piú.

Con l'altra mano, invece, inerpicandosi tra l'ammasso grande delle membra vegliate dalla morte assicurava alla fidata calugine della giacca ora un braccio, ora la spalla, e cosí via.

Questa operazione era faticosa per Sasà che nelle cose pratiche era uno zero assoluto, e piuttosto lunga per Rorò che però non dava segno di spazientirsene, pure se il suo cuore, sotto alla manina di Sasà a sostegno del petto, batteva forte forte. Piú del solito.

Comunque Sasà gli dava voce, mentre faceva vera opera di contorsionismo attorno agli arti superiori di Rorò, pesanti sassificati dall'immobilità.

Pure se la carne, a vedersi, era morbida rosa con tante nuvolette di grasso che ne frastagliavano la superficie.

– Certo Rorò che me l'hai fatta grossa... a Padova con la storia dell'Ada... e tutto perché ti volevi vendicare del fatto della nostra nascita... vero? quello è stato... sicuro... ma quella fu colpa di mio padre Cornelio... con lui te la dovevi prendere non con me... che mi sono rovinato la vita perdendo l'Ada... e tu lo sapevi quanto ci tenevo all'Ada io... sí che lo sapevi eh?

Sasà ricominciava con la storia dell'Ada e chiedeva a Rorò perché mai avesse rivolto verso di lui inerme indifeso *ché Amore inerme rende e indifesi* (sic Sasà) la sua letale vendetta.

In realtà Rorò, che non era quel cretino che Cornelio predicava, aveva preso due piccioni con una fava, quella volta.

Nel senso che *cantandosela*, rivelando ogni cosa sulla friulana e sul cugino Sasà, aveva gettato nella piú cupa disperazione, nella piú sconsolata desolazione e lo zio Cornelio che gli aveva rovinato la nascita – e anche la vita col fatto di dirgli sempre ch'era un cretino – e il cugino Sasà che con la sua spocchia da principino, con la parlantina da poeta lo comandava a bacchetta.

Solo un telegramma era bastato. Il danno era stato pari al crollo della chiesa madre al tempo della Seconda guerra mondiale.

Quelle due righe incomprensibili (piú **stop** che parole) a stampatello maiuscolo sul cartoncino giallo del telegramma avevano gettato nella disperazione piú nera e inconsolabile Cornelio Azzarello.

Un telegramma per se stesso era già motivo di grande apprensione. Un telegramma a Bulàla era un fatto eccezionale. In genere annunciava disgrazie lutti.

E il transumano grido di Cornelio Azzarello subito dopo averlo letto, ancora sulla soglia del portoncino, pareva confermare che di disgrazia si trattava.

Veniva da Padova e quindi (nei paesi una congettura tira l'altra per un nesso di consequenzialità quasi elementare) non poteva che essere morto Sasà.

Cinque minuti dopo tutto il vicinato veniva a sapere della disgrazia abbattutasi sul Direttore Cornelio Azzarello: era morto il suo unico figlio, Sasà. Al Continente.

Dieci minuti dopo tutto il vicinato, a seguito d'ufficiale smentita da parte di Cornelio Azzarello in persona, affacciatosi dal balcone del primo piano, sapeva che non era affatto morto l'unico figlio di Cornelio, Sasà.

E allora? quel grido da vitello orfano? quello strido che rimpallando per l'intonaco dei muri e lo spigolío dei mattoni crudi era giunto alla Piazza e di lí per effetto d'una strana eco dovuta al dedalo dei vicoletti era ripiombato piú vigoroso in casa Azzarello?

E la zia Carolina con la brocca della limonata sottobraccio?

E Cornelio accasciato sulla poltrona col cencio bagnato sulla fronte come s'usava per i collassati?

E Tommasina che gli faceva aria col muscaloro?

Il telegramma era arrivato il tre di luglio in casa Azzarello. A mezzogiorno in punto con un sole che spaccava le pietre.

Per ventiquattrore esatte nemmeno la moglie di Cornelio né Carolina erano riuscite a saperlo il contenuto del telegramma.

Riavutosi un poco Cornelio aveva dato ordine tassativo alle due donne di farsi vedere il piú possibile dai vicini, a che si quietassero quelle bestiacce dai cento occhi. A che non sospettassero – per amor di Dio! – della sua disgrazia.

Cosí la moglie aveva passato tutto il pomeriggio a stendere panni in terrazza. Sempre gli stessi. Li raccoglieva dal filo di zinco e dopo un'oretta, con le mollette di legno, li riappendeva secchi come foglie arsicce di pannocchie quando insòlano alla vampa del sole.

Carolina, sempre sul terrazzo, tutto il giorno a girare e rigirare sulle tavolocce di legno la polpa dei pomodori per l'estratto, e preparare anche le chiappe (pomodori a fetta) sott'olio.

Venti chili di pomodori che andavano affettati con cura, salati e disposti in filagno su tavolacci, a che la calura dei raggi li seccasse.

Operazioni che avevano impegnato la zia Carolina per circa otto ore sul terrazzo a un tale sole che per un pelo non ci aveva lasciato la vita.

Un febbrone a quaranta per tutta la notte, la faccia bruciata, e la borsa del ghiaccio in testa.

Solo dopo ventiquattrore Cornelio s'era deciso a dirla tutta la verità.

Era necessario che le due donne la conoscessero per intero in quanto che il piano, nottetempo ingegnato da Cornelio, richiedeva la loro massima collaborazione.

Cornelio Azzarello aveva passato la mattinata a studiare le reazioni del vicinato, a spiarne i piú piccoli segni ché quelle bestiacce sapevano fingere meglio dei teatranti che venivano ogni anno in Piazza per la festa dell'Annunziata.

Alle nove in punto era uscito con la scusa del giornale. Sott'occhio controllava, strada facendo, la faccia dei vicini soprattutto nel punto chiave: la mascella.

Se la mascella se ne stava al suo posto, impietrata sotto il telo della pelle, non c'era da preoccuparsi.

Se arrancava stizzita verso la propaggine naso-bocca, fino all'estremo ronciglio del mento, in una contrazione in un ghigno da sileni, era segno che i vicini se l'erano mangiata la foglia. Che avevano capito.

Tutto gli pareva in ordine, anche troppo, considerando il gran parlare del giorno prima.

La strada dall'edicola a casa, però, era troppo poca per dirsi al sicuro, per esserne proprio certi che i vespiglioni s'erano chetati.

Cornelio pensò che per maggiore sicurezza doveva uscire, percorrere un lungo tratto di strada, fare la spesa alla vicina pescheria, e tornare carico tale d'ortaggi formaggi pollame a che nemmeno il piú piccolo sospetto potesse sopravvivere.

E in effetti era ritornato dalla pescheria stremato di sudori e involti.

Per non dire che tre mazzi di segale gli spuntavano da sotto l'ascella sinistra, strusciandone la pelle in quel punto sottilissima e smangiata dall'eczema...

Stanco, sí, sfinito sí, ma soddisfatto Cornelio Azzarello. Almeno, oltre alla digrazia che gli si era abbattuta tra capo e collo, improvvisa come quando il lampo spara a sereno, non avrebbe dovuto affrontare i bisbiglii i vocii quel sussurrare sottovoce che tanto sapeva di pettegolezzi, e che lui, peraltro, avendone per anni da vero archegeta retto la matassa e il bandolo, ben conosceva.

Prima di leggere (sussurrare è in verità il termine che piú rende quell'asserpolamento della bocca che distillava una a una le parole in un'emissione grama avarissima di fiato) il testo del telegramma mandato dallo sciagurato di suo nipote Rorò, un cretino che aveva trovato la maniera di farglielo mangiare crudo il fegato – e di questo Cornelio non sapeva darsi pace – a mezzogiorno in punto fece chiudere porte e finestre, inchiodandole quasi ai cardini.

Infine, pallidissimo, la mano sul cuore come a impedirgli d'arrestarsi, lesse il telegramma il cui comunicato testualmente recitava:

CARISSIMO ZIO CORNELIO **STOP** IL LARDO RANCIDO **STOP** LO SPUTANO I GATTI **STOP** MEGLIO TORO CHE BECCO **STOP** SEBASTIANELLO SEBASTIANELLO **STOP** LE LATRINE DI ACIREALE **STOP** VOSTRO AMATISSIMO NIPOTE ROLANDO.

Il testo del telegramma era assolutamente ermetico per le due donne, tale che in sincronia perfetta esclamarono:

– Pazzo diventò pazzo sicuro al Continente pazzo diventò... da scimunito che era pazzo.

Lo scimunito eletto alla condizione di pazzo era logicamente Rorò che mandava, nientemeno dall'altra parte del mondo, un telegramma totalmente incomprensibile.

Ma se pazzo era diventato Rorò non meno lo era Cornelio!

Quel grido, quello spaonazzamento, quella voce tremicchiante che senso avevano, visto che niente diceva il telegramma?

Niente se non... mmmingggh... pensavano le due donne senza osare peraltro pronunciarlo chiaro, pure se Carolina era lí lí per sbottare pensando all'insolazione del giorno prima, che quasi quasi la spediva al Creatore.

– ... Sul terrazzino... sul terrazzino tutto il giorno ci devi stare... tutti ti devono vedere intesi?... la nostra casa onorata in fumo se ne sta andando e queste bestiacce qua intorno arronfate se la spassano certo della mia tragedia... – questo l'ordine tassativo di Cornelio e lei, Carolina, da vera cretina, gli aveva ubbidito come sempre fino a che il cervello era andato in ebollizione.

Ora, per giunta, dopo tanto sacrificio, si scopriva che i pazzi erano due: Rorò e Cornelio.

Cornelio, un quarantotto aveva fatto, per quella minghia di telegramma (Carolina lo pensò proprio nel termine citato di minghia, pure se quella parola non uscí dalla siepe scarsa dei suoi pensieri. In ossequio al fatto che la sapeva esclusiva dei maschi, monopolio totale e guai! a toccargliela non se ne parlava proprio).

Il Direttore Cornelio Azzarello, della cui intelligenza e perspicacia s'è gia detto, subito invece l'aveva capito l'enigma del telegramma che gli aveva perforato il cuore peggio d'un serramanico.

Le femmine non lo capivano ché quelle due cretine erano di nascita e con l'età – si sa – l'asinità ingrassa come un porretto che svasa a verruca o a polpo.

Lui subito l'aveva percepita tra le righe la disgrazia, come aveva capito che Rorò, oltre che cretino, era un gran bastardo.

Non una lettera a quattro facciate che dicesse chiaro e tondo per filo e per segno come stavano le cose ma un telegramma sibillino di appena due righe tali, però, che la disgrazia si poteva intuire benissimo.

Parole oscure di cui solo lui percepiva l'inequivocabile terribile significato.

Roba da ammazzarlo. Con quel popò di danari che gli mandava ogni mese il bastardo, veneloso come la tarantola, sul telegramma andava a risparmiare.

A intuito ci si doveva andare nel testo del telegramma e a un poverocristo di padre in pena, qual era lui, il cuore ci scoppiava con quel tràsiri e nèsciri (si dice non si dice) insinuante ammiccante fatto di parole innocue e d'altre assassine come **BECCO BASTIANELLO** chiarissime se uno non fa orecchio di mercante!

Cornelio Azzarello non faceva orecchi di mercante! No certo. E poi con quell'unico figlio per il quale stravedeva, pure se stravagante c'era e difettava un po' ma solo d'esperienza!

– Cretine quale pazzo e pazzo Rorò! Chiaro è il telegramma, chiarissimo. Già solo due parole dicono tutto: BECCO e BASTIANELLO, ché poi la stessa cosa sono. Cretine che significa becco?

– **Cornuto!** – fu la risposta all'unisono delle due donne. Una risposta secca sicura senz'ombra di tentennamento.

– E bastianello?

– **Cornuto!** – ancor piú sicure risposero le due donne con tale lapidaria incisività nella voce come mai se ne ricordava Cornelio.

– Già, **cornuto! cornuto!** – concluse sottovoce Cornelio Azzarello alzandosi a mettere gli scuri alle finestre, pure s'erano chiuse fitto e l'aria ribolliva d'afa come mosto nel pajuolo di rame.

Cornelio era terrorizzato dal fatto che i vicini potessero conoscerla la verità.

Un conto è sospettare un conto è sapere. E a quel punto sudava freddo pure se era il quattro di luglio e, in tutta la casa, non circolava una fettuccia d'aria e la gatta dava certi sbuffi da moribonda per asfissia.

Bisognava capirlo il terrore del Direttore Azzarello e le precauzioni circa una fuga di notizie sugli avvenimenti ultimi.

La notte poi aveva avuto incubi terribili. Sí, terribili.

La zia Carolina, con quel lampo di genio che talora solo i cretini hanno, statim et immediate aveva decifrato l'enigmatico messaggio del telegramma almeno limitatamente alla parte in cui si parlava di **LARDO RANCIDO**.

Questa ne era stata la sentenza conclusiva: – Allora Rorò vuole dire che Sasà se la fa con una che non è giusta...

Il significato dell'espressione *essere giusta* a Bulàla era chiarissimo per tutti. Traduceva la condizione di illibatezza, di verginità in una femmina.

Sasà dunque al Continente stava con una che non era *giusta*. Bell'affare! Proprio grossa l'aveva combinata, piú grossa non si poteva.

Ora il confine tra *essere giusta* e *non essere giusta* era nettissimo. Tra i due stati c'era un abisso.

Perché se una ragazza *non lo era giusta* (secondo il significato di cui si caricava l'aggettivo) il quesito era questo: quanti uomini aveva avuto? uno, o anche cento o mille.

C'era, per dirla col linguaggio di Sasà, tra le due condizioni l'analogia che correva tra l'essere e il non essere. Il diavolo e l'acqua santa.

Poiché nel telegramma Rorò parlava di latrine, non si concedeva nemmeno il piú piccolo spazio al dubbio, a un disperato ottimismo.

D'una buttana col giummo (una puttana di carriera) a Bulàla si diceva: *Quella? n'ha visti quanto le latrine di Aci*. Il *cosa* avesse visto era facile intuirlo, poiché le latrine pubbliche di Acireale – rinomata stazione termale d'acque miracolose sotto l'aspetto diuretico – erano frequentatissime quanto se non piú le latrine della stazione centrale.

– Miserabile assassino pidocchio cimicia farabutto – ora Cornelio riprendeva con gli improperi volti a Rorò. – Non poteva scrivere piú chiaro con quello che gli passo? Che so? il nome di questa buttana, da quanto tempo l'ha pescato il mio figlio sconchiuduto, le intenzioni assassine che ha.

Cornelio ovviamente era alla ricerca disperata di tutti gli elementi per potere formulare una diagnosi certa del caso e una prognosi fausta di sicura guarigione, di certa vittoria.

Si poteva forse prenderla alla leggera? o fare ridere i vicini esternandoli, patimenti sofferenze, che gli attanagliavano cuore e midollo, in totale annichilimento di sensi e cervello?

No! mai e poi mai.

– Ladro... ladro sanguisuga a tradimento – proseguiva Cornelio sempre pensando a Rorò – non poteva essere piú chiaro? Almeno quel tantino che un cristo possa prepararlo un piano adeguato di difesa?

A questo punto si sentí sicura decisa come mai la voce di Carolina:

– Di chiaro, chiaro è stato Rorò: Sasà è cornuto e quella è buttana. Buttana col giummo. Questo ha voluto dire, e questo s'è capito.

Cornelio Azzarello cereo quanto una candela di sego all'ultimo muzzicúni sudava freddo, mentre principiava il tic alla mascella e l'ingroppo della voce che annaspava nella laringe.

Scrollava la testa come a dire no nooooo, mentre il corpo abbatuffolato s'abbandonava sulla poltroncina come un gomitolo di lana vecchia arpionata dall'uncinetto piú e piú volte...

Quella cretina di Carolina non aveva capito niente – pensava Cornelio.

La faccenda un'altra era. Spaventosa. E riguardava lui lui in prima persona non suo figlio Sasà.

Cornuto, agli occhi di tutto il paese, lui sarebbe stato, Cornelio Azzarello, emerito Direttore didattico. Altro che Sasà!

Il paese su di lui avrebbe gettato la croce. Lui era l'Uomo di casa Azzarello, lui il pater familias.

Sasà era un minchione (queste confidenze su Sasà Cornelio però le faceva solo a se stesso, a quattrocchi con la sua coscienza come fosse in punto di morte, al cospetto di Dio).

Un minchione che lui padre affettuoso aveva montato come si fa con l'uovo sbattuto a neve e la bustina del lievito.

Che? le capiva queste cose quello sciagurato rintronato che appena messo piede a Padova bell'affare andava a combinare...

La tragedia sua era. Sasà indenne ne sarebbe uscito dalla vicenda perché – Cornelio lo sapeva assai bene – non c'era gusto a Bulàla con uno come lui, sperso tra cogito... sum... ragion pura essere non essere, a infierire sul fattore corna.

Lui Cornelio Azzarello, illustre e onorato Direttore didattico per concorso alle Cavour, rischiava di diventare il capro espiatorio della minchioneria di suo figlio Sasà. Lui la vittima sacrificale!

Sasà per quello che la Piazza valuta d'un uomo per dirlo uomo, un cretino era. Un fissato, un inetto, una vescica piena di sonetti ballate epigrammi madrigali e altre simili fesserie.

Non c'era gusto a torturare Sasà, che non avrebbe mosso ciglio se anche cento mille un milione di volte in faccia glielo avessero gridato in coro con l'accompagnamento delle campane della chiesa madre: cornuto cornuto cornuto cornutoooooo...

Lui, il minchione, all'amore pensava, all'essenza alle fantasie, e delle corna se ne fregava. Se ne faceva un baffo!

Quelle canaglie del paese benissimo lo sapevano tutto questo, come benissimo lo sapeva Cornelio Azzarello che di questa catastrofe avvertiva l'immane peso solo su di sé.

Un lampo di genio ci voleva. Doveva pur venirgli un lampo di genio a soccorrerlo – pensava accorato con la pressione a trecento Cornelio Azzarello, poi che in casa solo cretini e inetti lo circondavano.

E il lampo di genio venne infine:

– *Intelligente pauca*... – pronunciò come sotto un'ispirazione divina Cornelio Azzarello. Un po' incerto se si dovesse dire *intelligente* o *intelligenti*.

Fece la scelta sbagliata, Cornelio, quella con la *e* che se grammaticalmente non c'entrava proprio, emotivamente era la lectio che piú lo confortava sotto il profilo della sua persona per l'appunto intelligente siccome suonava il proverbio latino.

Il lampo di genio suggeriva in lingua latina (a uno che sia intelligente poche cose bastano) che lui, Cornelio, si concentrasse su poche cose di sicura infallibile efficacia vista la gravità del caso.

Cornelio, che intelligente era, si concentrò su una *cosa* che da sola bastava, per sua stessa autorevolezza, a risolvere il problema: **PEDAGOGIA**.

Benedetta pedagogia che gli porgeva, ancora una volta, tutti i remedia amoris – Ovidio lo citava spesso, Azzarello, e per questo il titolo del poemetto gli uscí netto netto senza intrúppichi della voce.

Per prima cosa non doveva perdere la testa.

Per seconda fare tornare immediatamente a Bulàla quello sciagurato di Sasà assieme a quell'altra che per comodità d'intesa Cornelio chiamò *quella delle latrine* forse con un'involontaria analogia, un sotterraneo richiamo, un parallelismo emotivo a *quella delle camelie* pure se latrine e camelie non sono quel che si dice due gocce d'acqua.

Questo fa comprendere certo quanta e quale ambascia travagliasse Cornelio Azzarello incaprettato in siffatta sciagura.

Se gli dico... torna immediatamente... ti faccio interdire... cretino... con la buttana ci sei cascato... torna minchione – era una delle mille ipotesi operative di Cornelio Azzarello – quello si va a perdere e pure il pelo se ne perde e io ventanni di balle di sudori di frottole mi perdo... (pensava al figlio di cui lui era stato unico pigmalione)...

Se invece gli dico... Sasà, a papà, scendi... che fai lassopra con questo caldo... vieni a farti i bagni a Bulàla... al lido gli ombrelloni hanno messo ti ho affittato la cabina per tutt'agosto... se hai un'amica portala lo sai che ci fa piacere... scendi mi raccomando – mentre al solo pensiero la bile e tutto il fegato gli scoppiava – ... ti vieni a fare le ferie... ci vuole un po' di sole Sasà... Cataratta sempre mi chiede *viene Sasà e quando? viene o non viene?*

Questa era la seconda ipotesi d'intervento. La piú autorevole perché suggerita dalla pedagogia.

Nelle tre notti passate sui testi di pedagogia del concorso a Direttore didattico, con gli occhi che grondavano sangue, la faccia stravolta tumefatta dalla perdita di sonno, gli occhi che parevano uova sode, ma:

Cosa non fa un padre per un figlio!

Cornelio aveva trovato scritto testualmente: «il ragazzo protagonista del rapporto educativo, epicentro del dialogo... fulcro...»

Certo quella era la strada e lui cosí si sarebbe comportato con Sasà come la pedagogia suggeriva. Cioè di farlo contento e gabbato.

Niente improperi né rimproveri a Sasà – sebbene il sangue a grumi ce l'aveva; a grumi tosti come le còcole del mare nelle vene intoppate – niente chiassate.

Mosca e pipa! pur di farlo rinsavire il suo Sasà che figlio di famiglia in fin dei conti era, e a quella baldracca delle latrine una bella lezione gliel'avrebbe data lo stesso.

In modo sottile subdolo come suggeriva la pedagogia. Col sorriso sulle labbra e le paroline dolci gentili *prego che piacere! non faccia complimenti come a casa sua prego...*

Che lo dicesse a Padova, rientrandovi senza piú il suo figliolo Sasà, come si educano i figli in Sicilia! come ci sta di sopra un padre. Sempre in guardia alla creatura, occhio vivo! occhio di furetto! a non farselo fregare un figlio.

Per amore di verità bisogna chiarirlo il punto di vista di Cornelio Azzarello.

Per Cornelio la spina al fianco di tutta la vicenda non era il discorso delle corna né della verginità.

Quella era la minima cosa. Quello era un parlare da siculi idioti barbari, scimuniti col cervello ammarazzàto (ingombrato) da pregiudizi dell'Ottocento, da pregiudizi del tempo dei Borboni.

Cornelio pure se c'era nato in Sicilia, anzi nella Sicilia piú siceliota, un uomo di mondo si riteneva.

Aveva passato lo Stretto due volte. Andava ai casini in Palermo e Catania. Si faceva la villeggiatura, con la scusa delle cure termali, da solo a Sciacca. Oltre cento chilometri da Bulàla.

E poi tutta quella pedagogia che aveva studiato per il concorso glieli aveva distrutti i pregiudizi da siciliano. **Benedetta Pedagogia!**

Il fatto era un altro di natura piú sofistica, piú intellettuale. Riguardava il suo ruolo di padre, non di padre avventurato ma di padre accorto attento pedagogicamente preparato. Riguardava ventanni di vita al servizio di quell'unico figlio.

Giorno dopo giorno, con la santa pazienza e il suo immenso amor di padre, da un mucchietto di paglia bagnatizza aveva costruito una vera piramide.

Prima, appena nato il suo Sasà, col fatto del **capitale**, poi l'intelligenza, la genialità, la poesia, l'estro, il talento la... l'... lo... le... gli... eccetera...

Insomma quando Cornelio faceva la lista delle fatiche dell'impegno dello stare sempre sul chi vive che gli erano costati quei primi ventanni di Sasà, la vista gli si appannava.

Gli salivano lacrimoni grandi come nespole e solo per ritegno le tratteneva in pizzo di ciglia come il giocoliere quando trattiene sul polpastrello dell'indice la palla.

In genere gli riusciva, ma in quella circostanza non sempre gli era facile.

Sicché una volta o due, per defluvio di lacrime, tale era stata la pozzanghera ai piedi dell'Azzarello che Carolina aveva dovuto armarsi di tirastracci e pezze.

L'alito dell'estate era fortissimo. Zagare menta gardenie gelsomini gigli sembravano impazziti alla Villa Regina Margherita di Bulàla.

Il fatto era che la Villa riapriva dopo tre anni di chiusura per lavori in corso (una gettata oscena di cemento, una riassettata ai muri di cinta una passata di vernice ai cancelli degli orribili lampioni tondi tondi che spuntavano qua e là tra i rami degli alberi come giganteschi testicoli di vetro).

Forse inconsciamente la scelta da parte del Sindaco e della Giunta era caduta su quel tipo d'illuminazione proprio perché quelle sfere di vetro liscio risultavano emblematiche d'uno dei pochi motivi d'orgoglio, sopravvissuti a Bulàla, allo scempio della nuova generazione dei Take That e Madonna: l'organo genitale maschile, per l'appunto. La virilità.

Ma queste erano solo congetture di Sasà che con l'ossessione del suo inesistente sesso smisurato sbandierato ai quattro venti da suo padre Cornelio, tra alti e bassi, c'era vissuto una vita.

Chissà dove stava la verità. Forse erano stati comprati quei lampioni solo perché in svendita, senza badare affatto alla foggia e, meno che mai, alle possibili analogie d'ordine anatomico.

Forse solo per favorire la ditta che li produceva. In entrambi i casi, niente a che vedere con le supposizioni di Sasà Azzarello.

Chissà dove stava la verità! Niente di piú vero per fare capire qual fossero ambascia e pena di Sasà Azzarello alle prese con l'Ada una volta che, per bocca della ragazza, per sua spontanea precisazione, anzi correzione, Sasà aveva saputo che non era vergine, visto che lui non aveva capito un tubo.

Sí, proprio di correzione s'era trattato. Era toccato all'Ada correggere l'idea di verginità totale immacolata che Sasà s'era fatto all'atto di penetrarla la prima volta, giacché lui – si ricordi che solo con buttane era stato Sasà, poche volte e con scarsi risultati – non ci aveva proprio capito niente.

O meglio tutto l'opposto aveva capito. Forse per la disperata volontà di assecondare ciecamente, contro ogni evidenza, i desiderata del padre Cornelio.

Altro che spenzeríto (serafico) Sasà di fronte alla pacifica sconfessione dell'Ada riguardo alla sua presunta falsa verginità.

Sconfessione accompagnata da un sorrisetto malizioso che lasciava intendere da quella bocca grande grande che due fossette conchiudevano a mezza mascella:

– Che coglione sei Sasà mio? ci sei mai stato con una donna o...? non lo sai che ci vuole il sangue... e lo sforzo all'imboccatura... e l'impegno a superar lo Stretto del Canale!?

Oh sventura! Se solo ne fosse stata zitta quella creatura divina! – si diceva con sincero rammarico Sasà pensando alle disavventure con Maddalenina conseguenti alla perdita dell'Ada!

Invece no! Aveva voluto parlare precisare puntualizzare.

– **Per amore di verità** – aveva detto.

Che c'entrava la verità?! Per sé nel piú profondo delle viscere se la doveva tenere la verità. Oltretutto che lui non la cercava la verità, non la voleva la verità!

Che c'entrava lui, Sasà, con la verità?

Lui niente cercava, solo il suo amore. Solo che tacesse benedetta creatura!

Che sono cose che si dicono *quelle*? che sono smentite da farsi, specie quando uno non abbia chiesto niente?

E Sasà che ancora se ne torturava di quella storia con l'Ada pensava proprio a se stesso.

A sé, che non aveva chiesto mai una virgola, forse proprio per il terrore della risposta (terrore determinato dall'effetto devastante che avrebbe avuto su suo padre Cornelio e, infine, sia pure per altri motivi, su di lui).

Quale amore di verità! La vita gli aveva rovinato quella verità. La sua e quella dell'Ada.

Una una soltanto al mondo ce ne poteva essere che dicesse la verità su quel tasto delicato, e per disgrazia era toccata a lui! (Questo era uno dei *loci* commiserativi su cui piú indugiava Sasà Azzarello).

A lui che amarla voleva, solo amarla devotamente eternamente sconfinatamente. Dalla mattina alla sera dalla sera alla mattina.

Un amore che giungesse fino alla Via Lattea alla costellazione dell'Orsa Maggiore e Minore.

A lui una simile disgrazia.

Solo amarla voleva Sasà. Solo questo e silenzio e bocca cucita.

Se questo era chiedere troppo...

La verità: che brutta bestia! piú del colera uccide piú dell'enterite acuta piú della calcolosi piú...

Sasà a questo punto sciorinava tutte le sue esigue conoscenze in tema di patologie mediche ritenute mortali.

– Però pure tu ti ci sei messo Rorò... per forza a zio Cornelio lo dovevi dire?... non lo sapevi come la pensava? che testa cruda da vero bulaliòto... mica come me internazionale cosmopolita con una visione laicocentrica del mondo... ah Rorò! bello mio... te la sei cantata e mi hai rovinato...

E a questo punto scandiva: **r-o-v-i-n-a-t-o!**

– Un segreto e che? non lo potevi tenere? acido ti faceva? Va bene che io non c'ero riuscito a tenerlo il segreto... ma io ero il diretto interessato prigioniero in un peristilio d'assilli ma tu?... niente avevi che fare?... Il telegramma a quel modo lo dovevi scrivere?

(È proprio cosa ardua la verità, soprattutto quando scrivendo si ha la tentazione di volerla individuare in una parte o nell'altra, ristabilire in qualche modo, e la storia di Sasà ci ha rinforzato in questo convincimento perché nemmeno quella che Sasà sbandierava, come verità, lo era. Non nel senso che fosse una menzogna ma nel senso che Sasà aveva una verità della pelle una degli occhi una della ragione una del ricordo una del rimpianto...)

La friulana Ada, alta un palmo piú di lui, glielo aveva detto chiaro e tondo ancora stesi su un costolone d'erba a fianco a un canale, i piedi prossimi allo sputo dell'acqua in riva al fiumicello, dove Sasà aveva sciolto il suo cinto virginale non certo quello dell'Ada.

Gli aveva detto tra il leggiero sciabordio dell'acqua che gli azziddícava (solleticava) non poco i piedi rattrappiti dall'ammollo prolungato, del colore delle lucertole morte nell'acquitrino, con le unghie viola come quelle dei cadaveri. Unghie lunghe, per di piú, perché da solo non ci riusciva a tagliarsele, abituato che al paese ci pensava sua madre Tommasina, dopo il bagno della domenica mattina.

– Non è la prima volta, Sauro (lei lo chiamava quasi sempre Sauro, l'altro nome Sasà le pareva nome di canarini) non ti sarai mica fatto strane idee...

Ora dico – questo sottovoce borbogliava Sasà mentre s'avviava ai cancelli d'uscita della Villa Comunale spingendo la carrozzina del cugino Rorò – avessi chiesto! lo capirei... ma io niente avevo detto... beato pacifico ero col sorriso degli angeli alla bocca e i piedi al fresco dentro l'acqua del canalone...

Pure *strane idee* le chiamava. E che *strana idea* è se uno se la vuole pensare vergine la sua donna... a chi fa danno?

Ah Ada! Ah creatura adorata, se solo avessi tenuto cucita quella bocca, se solo te la fossi ingoiata la tua verità, o l'avessi affidata alla corrente del canalone o allo scarico del cesso!

Sasà il sospetto – quasi certezza – che l'Ada non fosse vergine ce l'aveva avuto. Eccome!

Non c'era stato sfondamento, non s'era perso tempo, non s'era visto sangue, il suo inguine era stato risucchiato nelle profondità addominali dell'Ada come l'acqua del lavandino quando la zia Carolina ci levava il tappo... ggluuscccccchhh e giú d'un colpo.

Queste osservazioni, sommate, portavano dritto dritto al fatto che l'Ada fosse guasta, *non fosse giusta* (per dirla alla Bulàla).

Ma a un certo punto il sentiero dell'Ada da molle pianeggiante nella radura d'ingresso, irto s'era fatto quasi impervio. Tanto che l'inguine piccino di Sasà era intruppicato come arpionato, e non riusciva a disincagliarsi. Fermo né avanti né indietro.

Dopo un attimo, però, di nuovo confortevole ameno il sentiero era diventato, fino all'estremo approdo dell'uncino di Sasà.

Quella minima tortuosità, quella difficoltà sia pur d'una frazione di secondo, poteva legittimare la tesi della verginità dell'Ada.

E Sasà ci s'era gettato a capofitto su quest'ultima tesi. Gli consentiva di non avere pensieri, di non affrontare il padre Cornelio, di ubbidire ai principî ricevuti in tema di donne, assieme alla Comunione. Di mettere d'accordo capre e cavoli.

Sasà era felicissimo di questa soluzione che la sorte gli offriva nella specie d'un qualche fisiologico benedetto restringimento della vagina dell'Ada, o d'un fatto infiammatorio che in quell'unico punto ne ritardava il totale risucchio – gluuuuggggggg.

Sasà non chiedeva altro che fingere di credere l'Ada vergine.

Di farla fino in fondo la scena di non aver capito... anzi di corredare quel momento d'intimità di tutti i corollari verbali che ipso iure conducessero alla indiscussa verginità della sua Ada.

E cosí era stato.

– ... Tesoro un bruto sono... uccidimi... ti ho profanato nell'inviolato fiore... il candido giglio si fe' rosa purpurea... – eccetera eccetera siccome la sua incandescente esuberanza retorico-letteraria gli suggeriva.

Forse, però, aveva ecceduto... forse anche lui aveva sbagliato, forse che doveva tacere muto. Un pesce.

E pure l'Ada allora avrebbe taciuto... forse l'aveva provocata quella verità contagiosa piú del vaiolo... forse... chissà...

Questi dubbi ancora dopo cinquantanni lo perseguitavano anche se non bisogna dimenticare che Sasà di questo tormento di questa pena di questo dolore aveva fatto il piú serio motivo della sua miserabile esistenza. L'*oratio maxima* della sua vita.

Aveva scelto la sua verità Sasà riguardo all'Ada: era vergine la friulana. Punto e basta.

Non chiedeva che un silenzio di conferma come dice il proverbio *chi tace acconsente*, non avrebbe voluto per nessuna ragione al mondo appurare né approfondire Sasà.

Credere voleva – e già ci credeva fermamente tenacemente visceralmente! – alla sua verità.

E invece l'Ada, unico amore della sua vita, gliela aveva rovinata la vita per sempre, vomitando l'altra verità:

– Non è che ti sei fatto strane idee Sauruccio mio?... è per via che siamo su un declivio è per via che la sponda del canalone sale su di botto dalla riva e fa ponte sotto il mio culo... è per via che sono messa male col bacino che non poggia...

Quante spiegazioni! Cento non una! (una la si poteva confutare). Mille spiegazioni!

Una raffica di spiegazioni che trapassavano il cervello di Sasà come i colpi d'una mitragliatrice... e come mai si sarebbe potuto riparare? dove? quando?

Non gli dava scampo il suo amore. Dava una due cento spiegazioni a conferma della sua non verginità. Ci s'accaniva come fosse un vanto da non perdere per nessun motivo al mondo. Un primato. Macché! un unicum...

E se a un certo punto Sasà non si fosse dato per vinto mostrando di convincersene, avrebbe incalzato senza pietà alcuna, pure se lo vedeva pallido pallido. Tramortito con gli occhietti sprofondati chissà dove!

C'era rimasto mezzomorto Sasà sul corpo dell'Ada, coi piedi da becchino ammollo, congelati da quella maledetta verità che lo uccideva. No peggio! che intanava dentro di lui scavando gallerie cunicoli come le zecche sottopelle.

Perché Ada non ci s'era aggrappata all'esca di quella menzogna che lui sua sponte le offriva?

Ah dolce melodia d'una menzogna che acquieti gli animi intartariti dai pregiudizi!

Ah aspro talento della verità che confondi e imbalordisci i pensieri degli amanti!

Ada, nel riadattarsi le pieghe della gonna, ormai in piedi con i calcagni fuori dal canalone, lo guardava con gli occhi di chi non ha minimamente capito che una condanna definitiva è stata pronunciata. Un verdetto senza appelli.

E, per una strana beffa della verità, a sancire la condanna contro di lei era proprio colui che piú d'ogni cosa al mondo diceva d'amarla.

Piú dell'aria stessa o della luna, nelle notti di luna, quando infuriava tra i tegoli di terracotta e spingeva i gatti ad accoppiarsi.

Magari l'avesse sussurrata, la verità, a sorsellini, in tempo che lui potesse strozzarglielo il fiato assieme al resto... – pensava Sasà stravolto solo al ricordo, pure se cinquantanni erano passati e faticava non poco a spingere per il lastricato del corso la carrozzina di Rorò.

Sasà Azzarello – per quanto stava a lui – non ci badava proprio alla verginità.

Mica la pensava da siculo lui!

Lui nella testa nordico era, mitteleuropeo. Cultura transalpina era la sua.

I suoi pensieri del nord erano: anima logos thumòs cogitazione...

Quelli del sud (pensieri s'intende): minghia sugaminghia stutacanníli (posizione erotica che vede la donna soprastante l'uomo) corna futtutína (amplesso) al Cataratta li lasciava.

Degni di quel pezzente erano che prima, durante e dopo il suo matrimonio, alle nuzze (tacchino femmina) lo infilava il suo citrangolo di bestia!

Tutti lo sapevano a Bulàla che confortava il suo uccellaccio spiumato vecchio con le nuzze quel porco animale quadrupede bipede biscia insetto vermo del Cataratta! Roba da scomunicarlo.

Amarla voleva, Sasà Azzarello, l'Ada la friulana per tutta la vita se solo santo Vito l'avesse resa muta in quel momento in cui il demonio la spingeva alla verità!

Solo che stesse zitta, solo quello ci voleva ed era fatta.

Detto fatto, Sasà se la sarebbe sposata. In un fiat.

Un angelo per sé avrebbe voluto Sasà, altro che quel demonio di Maddalenina col fiato aspro di cipolla e la caviglia gonfia come l'ernia all'inguine!

La donna della sua vita Ada doveva essere. **Aaaaaaada aaaaada** – e s'incantava come un vecchio grammofono dalla puntina rotta nel pronunciarne il nome, Sasà.

Che poteva mai dire suo padre Cornelio di fronte a quella creatura divina solenne come Atena Artemide Era?

Che mai avrebbe potuto contestarle? che era del nord?

E se anche, lui pronto con occhi di bragia:

– Razzista d'un terrone... miserabile massone... – e dritto in faccia il libro di pedagogia...

– Barbaro troglodita... – e dritto in faccia il libro d'educazione civica...

– Primitivo cavernicolo... – e giú dritto in direzione dei coglioni il libro di diritto costituzionale che pesava un accidenti...

A spada tratta in quel caso Sasà l'avrebbe difesa la sua Ada. Ma cosí come poteva difenderla da suo padre Cornelio? come poteva sostenerlo il suo amore?

Ada gli aveva fornito un'arma micidiale, si era data per ingenuità, corrotta da un folle insano talento alla verità, la zappa sui piedi.

Ora proprio lui Sasà, che piú della vita stessa l'amava, sarebbe di necessità diventato il suo carnefice. Doveva! Non c'era scampo! non c'era altra via, pure se a lui non gliene fregava un fico secco del fatto che l'Ada fosse andata con uno o con cento uomini, prima che con lui!

– Ma dove li metti – recitava Sasà col cuore morto che batteva rauco come le campane a lutto, mentre tentava d'abbrancarli i calzoni acciambellati alla caviglia – dove li metti i principî d'un padre?

Gli ideali d'un padre sul proprio figlio, carne della sua carne, sangue del suo sangue?

E suo padre Cornelio di quegli ideali aveva fatto il suo pane quotidiano nelle miserie d'una vita ignobile vissuta tra due cretine: Tommasina e Carolina.

Ora un figlio può fare torto a un padre? glielo può spezzare il cuore? lo può tramortire alla nuca come il piú mostruoso dei delinquenti? – si chiedeva disperato Sasà.

La risposta era implicita, scontata, essendo la domanda retorica. No un figlio non può. Non può.

Sasà non poteva calpestare gli ideali di suo padre che in primis voleva per lui una moglie vergine, come peraltro era stata la sua: Tommasina cretina ma vergine.

Sasà sempre, fino ad allora, aveva tenuto testa al padre dichiarandosi ribelle estremista alfieriano. Ma di ben altro s'era trattato:

Sasà la maglia di lana... Sasà lavati i denti... Sasà a quei figli di buttana sempre tu gliela devi pagare la granita coi miei denari? Sasà finiscila con la recita mentre mangi ché dentro il piatto mi sputi... Sasà non ci tirare la scarpa alla gatta ché si rovina la pelle...

E Sasà a resistere fieramente, a fare caparbiamente di testa sua, a fronteggiarlo il padre che infine cedeva rassegnato e compiaciuto al fatto che quel suo figliolo era *ribelle ribelle... i minchioni calano la testa ecco Rorò ch'è minchione cala la testa ma Sasà ch'è un genio ribelle è... ha temperamento...* diceva Cornelio Azzarello sotto sotto compiaciuto con le fiaccagote lucide, ripassate a mo' di brillantina con la vernice testa di moro, quella che usava per colorare la crozza calva.

Già risalendo per l'erta cretosa del canalone Sasà Azzarello lo sentí chiaramente che si dileguavano dal suo corpo l'intellettuale il nordico il poeta. Sparivano, creature nobilissime, esiliate da un demonietto che aveva la voce e i comandi di Cornelio Azzarello.

Usciva l'uno, Sasà, mite magnanimo comprensivo, entrava l'altro, Sasà-Cornelio, despota masculo possessivo.

Già per strada Sasà ebbe le prime allucinazioni. Vedeva i bottoni del vestito dell'Ada, bottoni rotondi, un po' schiacciati, in finta madreperla, uno appresso all'altro come usava nel dopoguerra dal petto al polpaccio, sollevarsi, persa ogni rotondità, in forma d'orribile pene, irti minacciosi, e accusare l'Ada d'essere proprio come sosteneva Cornelio: **buttana**.

Per la strada Sasà-Cornelio bevve a tre fontane ché, per le allucinazioni del delirio, gli era venuto un febbrone da cavallo, 42° almeno.

Camminava zigzagando da una parte all'altra della strada con grande meraviglia dell'Ada che impettita come sempre, sostenuta dal misfatto d'averla detta la verità, incedeva con passo militare. Fresca come una rosellina di maggio.

Quelli che seguirono furono tre mesi d'inferno per Sasà e la friulana.

Tre mesi in cui Sasà sperò di venirne a capo da solo, di trovarla una soluzione, senza oltraggiare papà Cornelio che scriveva due lettere a settimana, e ogni cinque del mese mandava il vaglia telegrafico coi danari.

Tre mesi che videro Sasà ridursi a una foglia di lattuga in un piatto di brodo.

Esile, Sasà galleggiava nei vestiti, verde in faccia come avesse la malaria o la melitense.

Dormiva pochissimo ma di questo – grazie a Dio – non s'accorgeva Rorò che ronfava tutta la notte.

Niente università, sempre appresso all'Ada che faceva l'ultimo anno d'infermiera professionale.

Sasà s'era comprato il camice da infermiere coi danari che zia Carolina gli aveva spedito per l'impermeabile. Pure di starsene in corsia assieme all'Ada, appiccicato alle sue costole, letteralmente invasato, durante le otto ore di turno.

Per capire? per spiare dai suoi occhi dai suoi fianchi dal suo colorito minimi segni di conferma? per avere quelle prove d'innocenza d'illibatezza che lei gli negava senza ritegno? per strapparle qualche benedetta menzogna che rimediasse alla fatale verità?

Una volta Sasà, in corsia, pure un clistere aveva dovuto fare per non insospettire la caposala che lo credeva studente nuovo di primo anno.

E lui per non perderla di vista un solo attimo la sua Ada, pure il clistere aveva fatto a uno che doveva essere operato d'emorroidi. Ah se l'avesse visto suo padre Cornelio Azzarello!

Kant Hegel Marx Leopardi Foscolo erano scomparsi dalla sua vita. Totalmente. Tra aghi di sutura clisteri acido borico e alcool denaturato.

Come prima cosa Sasà-Cornelio s'era fatto dire dall'Ada chi le aveva fatto il danno (*fare il danno* nel linguaggio di Cornelio-Bulàla significava sverginare).

Era stato un carabiniere, in servizio a Padova.

Via via che l'immagine del carabiniere si disegnava agli occhi di Sasà (in forma di sileno satiro minotauro) si aggiunse un particolare fatale per Sasà (quando si dice che sul bagnato ci piove!): il carabiniere era siciliano, di Palermo.

Cornelio si sarebbe preso l'infarto di sicuro a quella rivelazione. Il cuore avrebbe eruttato per aria, atri e ventricoli compresi, come un vulcano.

La sorte lo perseguitava! Sí la sorte lo perseguitava non gli dava tregua, in tutti i modi piú abietti e perversi!

In quel momento cominciò a concimarsi a ingigantirsi quell'autocommiserazione che sarebbe stata la piú fidata amante di Sasà, la piú fedele compagna della sua vita!

Cominciarono i giuramenti. Giuramenti sui santi o sui parenti? Macché!

In treno ogni giorno finito il turno dell'Ada in ospedale, Sasà, stravolto da quella verità che non gli riusciva d'annegare in un canalone, in un fiume, portava Ada da un punto all'altro del Friuli e del Veneto.

Alle stazioni piú sperdute, in cima a un pendio, o in fondo a una vallata deserta, laddove Sasà decideva che si dovesse scendere, scendevano lui e l'Ada, che lo seguiva sbuffando alle sue spalle.

Ada lo assecondava pensando da ingenua ragazzotta friulana... *è un siciliano sangue caldo è geloso gli passerà... s'accomoda tutto... è buono come il pane... il tempo di farci il callo... un po' di bizze...*

Il luogo di destinazione era medesimo in qualunque stazione scendessero: il cimitero.

Uno cento mille cimiteri. Piccoli grandi sperduti arroccati su greppi ripidi scoscesi dove entrambi, Sasà e Ada, arrivavano stravolti trambasciati dopo un'ora e piú di cammino a piedi per torciglioni forre balze dirupi della montagna.

Tarvisio San Giorgio di Nogaro Passo della Mauria Cime dei Preti Auronzo di Cadore Montebelluna San Tino di Livenza Scorzè Spinea Bussolengo Bassano del Grappa...

Friuli e Veneto in lungo e largo, da nord a sud, dalla costa alla mezzacosta all'altopiano per tre mesi, mentre il tepore della primavera cedeva alla calura assassina dell'estate, come le gambette di Sasà cedevano al prolasso fatale dei nervi.

Mezzomorto Sasà, pelle e ossa, piú di là che di qua, il naso sí spolpato che s'accasciava come tibia di pollastrella sul mento a becco d'airone, chiedeva alla sua Ada giuramenti. Sempre medesimi, in ginocchio, le mani giunte davanti a tombe di sconosciuti sventurati, di cui l'ovaletto in maiolica con foto rimandava un'immagine sbiadita, insidiata dall'umido e dalle ragnatele.

Occhi sorrisi fissati in chissà quale momento d'allegrezza, cosí aspramente in contrasto con quelle lapidi marmoree di morte.

Lo giuro mi moro se non dico la verità uno e uno solo... lo giuro dinanzi a questa tomba benedetta... uno e uno solo il carabiniere...

Per un quarto d'ora Sasà sembrava chetarsi, grazie al giuramento, ma poi il demonietto (Sasà-Cornelio) si risvegliava piú feroce che pria.

E allora ricominciava il pellegrinaggio tra croci lapidi fiori secchi fiori di panno Lenci tra vasetti di zinco e fotografie di volti stralunati, con la paglia in testa, o il cappello da prete o il pennacchio da bersagliere.

La scelta della tomba ovviamente la faceva Sasà. Erano oltre che – come s'è detto – neonati giovani spose militari, anche preti. Soprattutto preti.

Non che i preti Sasà ce l'avesse in simpatia. Nient'affatto! lui laico era, indipendente, assertore d'una cultura antropocentrica non teocentrica.

Sapeva, però, che l'Ada in famiglia aveva due zii preti, uno zio vescovo addirittura. E tre zie suore di clausura.

Quanto ai militari il discorso era un altro. Cominciavano gli aneliti patriottici di Sasà con conseguenti declamazioni: – Su questo sangue innocente come quello di nostro Signore Gesú per la Patria versato con sprezzo della vita... *giura... giura giura ancora giura forte piú forte*.

E l'Ada giurava forte piú forte coi cannaríni (corde vocali) consunti dallo sforzo, medesimi sempre il formulario e il rituale: *Giuro mi moro... mi moro* et cetera et cetera...

In Sasà Azzarello che amava l'Ada piú che la vita s'era intanato, poco a poco, ma ormai fino al midollo, un orribile proponimento.

Uccidere quello che di ignobile restava in lei del palermitano, carabiniere di prima nomina a Padova, che oramai non poteva piú rinnegare.

Inutili tutti i faticosissimi stremanti tentativi in tal senso, che avevano avuto come unico risultato quello di portarlo a un centimetro dalla tomba.

Quel che del palermitano restava dentro l'Ada a contaminarne le carni, l'anima, andava distrutto nel senso letterale del termine.

Cosí gli abbracci diventarono morse di ferro, gli amplessi stupri e Sasà s'agitava come fosse indemoniato affatturato sul corpo dell'Ada, sferrando pugni ora qua sul fianco destro, ora là sul sinistro, ora sul bacino.

Ora una ginocchiata all'addome, ora uno strattone al torace perché per un fenomeno visionario allucinatorio tra sé e l'Ada ci vedeva il palermitano. Per di piú in divisa da carabiniere...

L'uniforme i bottoni dorati le coccarde i baffi svirgolanti accespugliati (chissà perché, Sasà se lo figurava coi baffi il palermitano) prendevano corpo. Prima bassorilievo poi tutto tondo.

Da qui quell'agitarsi scomposto tumultuoso sull'addome dell'Ada che si segnava di lividi neri come l'uva di Solicchiata quand'è tempo di vendemmia...

Un pugno all'occhio del carabiniere, la cui immagine si sovrapponeva a quella dell'Ada, per Sasà, in preda al delirio, in realtà tumefaceva per quindici giorni quello dell'Ada.

Sasà odiava quello che nell'Ada doveva pur essere rimasto del palermitano, e voleva stanarlo a tutti i costi. Una fissazione, la sua, dalla quale niente e nessuno riusciva a farlo desistere.

Tracce minime, piccoli segni (un capezzolo zichiniato dalla lingua di quel miserabile, una positio erotica che lui cercava d'intuire da ogni piú piccolo movimento dell'Ada, da ogni sua piú schietta improvvisazione).

Segnali che per lo piú erano falsi allarmi, determinati da un improvviso starnuto una grattatina alla schiena un po' d'allergia alle fragole...

Quello che del carabiniere di certo c'era – per forza ci doveva essere. E come no? – nella sua adorata Ada, e che non gli riusciva di stanare pur braccandolo come un furetto bracca la lepre nel fosso, poco a poco aveva finito per confondere i suoi sentimenti per l'Ada.

C'erano volte in cui Sasà, quando la guardava in quei fianchi grassi inquartati accippati sull'ossa – fianchi tipici di chi è femmina da letto – sentiva d'odiarla. Sentiva salirgli al cervello un tossico tale che non c'era altra via che metterla alla prova. Una prova dura infallibile. Non una cosetta senza rischio.

Una prova ardua, ideale a mostrare la sua innocenza la sua buona fede: il suicidio.

Sasà le avrebbe chiesto d'uccidersi. Se l'Ada accettava e ci moriva, finalmente dubbi allucinazioni visioni avrebbero smesso di torturarlo. E lui si sarebbe votato per sempre a quell'Angelo del paradiso, con tanto di preci lacrimoni gladioli ed elegie.

Sasà considerava tra l'altro che ridotto com'era, uno spaventapasseri, cereo allivastrato con fibrillazioni da gallo d'India, tachicardie, ronzii nelle orecchie, rischiava di morirci lui di quell'angoscia, da un momento all'altro.

Sasà pensava che la colpa di quella prostrazione che gli stampava la morte in faccia come una formina di mele cotogne era dell'Ada, non perché non fosse vergine, ma perché s'era lasciata andare a quell'osceno «amor di verità», riducendolo in fin di vita.

Oh destino infame! Per una volta che si era innamorato sincera gli doveva capitare! onesta! leale... peggio di cosí...

Questo pensava Sasà, e se ne torturava ché lui solo di quella sincerità e onestà ne faceva le spese, ci moriva. Quindici chili in due mesi, occhiaie da spelonca paleolitica, fibrillazione extrasistole e tutto il resto.

Dopo due mesi Sasà s'era determinato al partito del suicidio dell'Ada. Voleva proporre all'Ada d'ammazzarsi.

I giuramenti non servivano a dargli pace ma solo a fargli staccare la carne dalle ossa, il cervello dalla testa, e scuocergli i piedi delicati con vesciche immonde e piaghe che si profondavano un centimetro nel tenerume della sua carne natia.

Mentre l'Ada, a ogni stazione, comprava certi panini con provola e salame da sfamarcisi in cinque a tempo di guerra!

Sasà aspettò il momento buono per parlarne all'Ada, e infine glielo disse. In treno mentre l'Ada beveva lo spumantino dei colli Euganei direttamente dalla bottiglia.

Ah tormento! quel collo di bottiglia in bocca all'Ada afferrato dalla morsa delle sue labbra grandi tritrignose, quel collo di bottiglia arrotondato, cosa non parve al povero Sasà, per via delle allucinazioni! Solo il colore era diverso ché nei maschi non è verdino come il vetro delle bottiglie.

Ripensando alle labbra di lei: una morsa al collo della bottiglia... una calamita... come l'asserpavano la bottiglia e allora dunque forse sicuro col carabiniere... com'era spontanea brava a tirare dal collo della bottiglia... un ritmo un'armonia di gesti perfetti... una sincronia... maxillo-palatale-facciale mai vista...

Quali fossero le visioni di Sasà Azzarello riguardo all'Ada che sucava dalla bottiglia, quale il suo strazio è facile intuirlo.

Ada non si scompose nemmeno un poco a fronte della richiesta di Sasà, che nientemeno la sua vita chiedeva. Il suo suicidio.

Sasà era stato perentorio e determinato al riguardo, solo restava da precisarne le modalità.

Ma Sasà – s'è detto – quanto a perfezionare progetti di suicidio era già allora un vero talento.

Sasà pensò che proprio da quell'assenso immediato dell'Ada, che non muoveva obiezione né batteva ciglio, si vedeva ch'era una continentale quella creatura divina. Mentalità stoica, disprezzo della morte, contemplazione del suicidio.

Creatura perfetta divina celeste unica al mondo. La sola che lui potesse amare, la sola che potesse sposare.

Ma poi che, per come stavano le cose, non poteva sposarla né tanto meno lasciarla – giammai! – non c'era altra soluzione che farla morire, persuadendola a una morte che nella migliore tradizione letteraria – Sasà pensava a *Romeo e Giulietta* di Shakespeare – li avrebbe uniti per sempre in nome dell'Amore.

Non cesura strappo rottura divisione tra loro due, bensí simbiosi osmosi copula. Quest'ultima, nella periegesi interpretativa di Sasà, depurata da ogni carnale sembiante, andava riferita esclusivamente alle affinità elettive.

Mirabilia! non c'era stato bisogno di persuaderla! Ada finito lo spumantino *sí* – aveva detto – solo *sí... non s'è miga un problema un deto e un fato*.

Una creatura eccezionale, composta... solenne determinata... Altre (Sasà pensava a sua madre sua zia Carolina le femminette di Bulàla) un pandemonio avrebbero fatto.

Strepiti grida suppliche minacce invocazioni imprecazioni e quant'altro a farle restare vive.

Attaccate alla vita come zappaglioni allo sterco caldo d'una vacca.

A respingerla come furie la proposta di Sasà che in fin dei conti non chiedeva una bazzecola, un civettuolo pegno d'amore, ma la vita! Sí la vita.

– È questione di cultura – sospirava Sasà! – quella (alludeva alla cultura dell'Ada) è cultura nordica romantica. È la cultura dello Sturm und Drang...

(A questo punto dello *sturm und drang* il Cataratta avrebbe detto **minghiaaaate**).

In realtà le cose non stavano proprio come le pensava Sasà.

L'Ada, piú che creatura wertheriana, era creatura furba. Una sempliciona tutta d'un pezzo, ma furba. Con una bella noce di sale in zucca.

Non intelligente. Furba. Pensando che quella fosse l'ultima fissazione di Sasà e che poi, Sasà, per esaurimento d'altre pensate si sarebbe calmato, aveva deciso di starci.

Avrebbe fatto finta di suicidarsi gettandosi al fiume, certa com'era di salvarsi, essendo ottima nuotatrice, campionessa regionale con certi muscoli pettorali da fare spavento, e in piú quasi infermiera professionale.

Come modalità del suicidio – pensava serafica l'Ada che a Sasà non ci voleva rinunciare – cosa poteva proporre il suo Sauruccio?

Canaloni e fiumi con un bel salto nell'acqua giú dal parapetto del ponte oppure veleni o sonniferi.

La prima ipotesi la faceva ridere. Era un giuoco da bambini per lei campionessa stile libero, e abituata a tuffarsi dal trampolino.

Si sarebbe gettata con slancio, la testa a pelo d'acqua,

qualche minuto giú in apnea, ché poi Sasà avrebbe fatto il resto per salvarla invocando aiuto a squarciagola.

Pavido com'era, senza un grammo di coraggio, avrebbe strillato tanto che almeno in dieci (su Sasà non ci contava) si sarebbero tuffati a salvarla.

Un po' d'intoppo al fiato, qualche sputo d'acqua, l'occhio smorto tremulo per un paio di minuti, e poi sana come un pesce.

E viva, soprattutto, viva, con la piú grande felicità di Sasà che a quel punto come suo salvatore non avrebbe piú potuto rinfacciarle niente.

Anzi avrebbe rinunciato in buona pace, contento e gabbato, alla sua morte.

La seconda ipotesi delegava la morte dell'Ada a veleni o sonniferi.

E anche in quel caso non c'era da preoccuparsene. Lei infermiera professionale sapeva i rischi che si correvano, e certamente non ne avrebbe corso alcuno, seriamente. Solo per finta, solo per scena.

Un batuffolo d'acqua di piombo (quella che usavano per le lavande vaginali in ospedale) sulle labbra – giusto per l'odore! – una bella spruzzata sul petto a che il vestito bagnato facesse impressione, qualche finto conato di vomito, e anche in quel caso era fatta!

Sasà disperato le avrebbe retto la nuca, le avrebbe tirato la lingua in fuori mentre lei in piedi vomitava dentr'al cesso.

Le avrebbe preparato acqua e zucchero, le avrebbe massaggiato il cuore con le sue falangette aguzze come lische, e lei, poco a poco, si sarebbe ripresa quella vita che non aveva mai seriamente rischiato di perdere.

Niente piú visioni né cimiteri né tombe con le croci accicognate. Solo il suo Sasà e il matrimonio.

Le cose andarono proprio come l'Ada le aveva pensate. Anzi piú semplicemente per quanto riguardava la messinscena del suicidio, ma con un imprevisto riguardo al dopo-suicidio.

Sasà per due settimane la portò su tutti i ponti del Veneto e Ada conobbe fiumi e fiumiciattoli, torrenti e torrentelli sí sperduti che nemmeno le piú analitiche carte geografiche segnalavano con quella serpentina blu che, di solito, indica i corsi d'acqua.

Il Bacchiglione, il Po, l'Adige, la Livenza, il Sile, il Brenta per non perderci con i rigagnoli che piú scolature di fogna sembravano.

E ogni volta la stessa storia. Era in piena, c'era poca acqua, ce n'era troppa, non c'era abbastanza luce, ce n'era troppa.

C'erano troppi passanti o non ce n'erano affatto, le acque erano limpide o limacciose... calme o troppe agitate e mille altri pretesti per tornarsene ogni sera senza avere concluso niente.

L'Ada, che s'era proprio stufata anche perché continuava a fare i turni in ospedale e quel pellegrinaggio per ponti cominciava a risentirlo nella mancanza di sonno, nella spossatezza, nel gonfiore dei piedi, pose a sorpresa fine a quel calvario.

Senza dirgli niente – una sera che aveva finito il turno di notte e per l'altro turno aveva ventiquattrore di tempo a disposizione per suicidarsi morire (quasi) e risuscitare – pose fine di testa sua alle peregrinazioni fluviali.

Si stese sul letto, un minimo spruzzo d'acqua di piombo sulle labbra, un quarto di litro d'acqua di rubinetto sul petto e in bella mostra sul cuscino, rovesciata, una bottiglietta vuota con la scritta **Stricnina**.

L'aveva raccolta dal secchio dei rifiuti al laboratorio di farmacologia. In ospedale.

La messinscena era perfetta, non restava che aspettare

Sasà che a giudicare dallo scroscio d'acqua nel cesso e dalla catenella arrugginita, doveva essere lí lí per riaffiorare (sí proprio quello era il termine esatto quando Sasà sprofondava nella tazza del cesso in genere in compagnia d'un dialogo di Platone o d'una orazione di Isocrate).

E difatti Sasà non tardò. La canottiera di lana a mezza manica sebbene fosse la metà di giugno, le gambette consunte, non piú grosse dello stelo d'un papavero, nude da sotto le mutande a mezza coscia cucite a mano col percallo fino dalla zia Carolina che pretendeva di provargliele, prima d'attaccarci i bottoni, con tutto ch'era signorina.

– Eeeeehhh certe cose (allusione al **capitale**) le signorine non le devono vedere – borbottava Cornelio terrorizzato che quella cretina potesse accorgersi delle balle riguardo al sesso di Sasà.

Ada, muta immobile se ne stava, abbandonata di schiena a che si vedesse il petto bagnato, e si sentisse quel poco d'odore dell'acqua di piombo. Immobile aspettando la reazione di Sasà che tardava.

Lo sapeva pavido il suo Sauruccio, di niun cuore! quante storie per una iniezione quando aveva fatto l'influenza!

Quante raccomandazioni per le supposte quando aveva fatto l'otite purulenta!

Il suo Sauro quanto a coraggio aveva il cuore d'un passerino.

Altri erano i pensieri di Sasà fuori dal cesso, con la tovaglia di tela grossa avvolta a turbante intorno alla testa, stretta forte sulle tempie.

La sessione d'esami stava per finire e lui niente, nemmeno una materia.

Aveva dato fondo a tutti i vaglia di Cornelio e alle riserve d'emergenza, girando in treno tutto il Friuli e tutto il Veneto.

Senza contare i vari ristori alimentari per la sua Ada ch'era d'ottimo appetito. Cascasse il mondo – grandine fulmini tempesta – mangiava ch'era un vero piacere.

Mentre lui aveva dilapidato quindici chili della sua già misera carcassa senza risultato alcuno che servisse a mettergli il cuore in pace...

Non poteva sposare l'Ada – e come con Cornelio di mezzo? – ma nemmeno lasciarla. In quel caso meglio la morte.

S'era distrutto in feroci taurini assalti sessuali quel modesto **capitale** che madrenatura gli aveva dato, perché sperava che in uno d'essi con tutto quel trambusto quell'agitazione quei pugni quelle pedate il palermitano che aveva determinato la sua disgrazia ne uscisse morto per effetto delle allucinazioni. Perché, quantunque fossero passati già tre mesi, Sasà continuava a vedere il carabiniere, responsabile delle sue sciagure, a mezzo tra lui e l'Ada, steso come la marmellata di more tra due fette di pane casareccio.

Oh pena oh tormento! Quale godimento? quale orgasmo? tortura solo tortura.

Mentre l'Ada tra sospiri e sussulti ne veniva fuori pacifica, liscia come un velluto. Segno – questo era il momento in cui Sasà diventava Sasà-Cornelio – ch'era una cavalla da letto. E a quel punto la odiava con tutte le sue forze.

Segno che il corpo dell'Ada aveva la meglio sull'anima; anima che lei mandava a quel paese, infischiandosene dei tormenti che aspri aspramente lo sfinivano giorno e notte...

Segno che al cazzz... la friulana c'era abituata come quando uno fa le tonsille d'abitudine ogni inverno... ma quanto c'era abituata? quanto?

E sul *quanto* si apriva una voragine di sospetti presentimenti intuizioni dubbi allusioni et cetera.

Tardò almeno mezz'ora Sasà prima d'accorgersi della bottiglietta sul comodino con la scritta **Stricnina**.

Ada fremeva ché già quel poco d'odore d'acqua di piombo sulle labbra era svanito evaporato.

Né poteva inumidirle d'altra acqua di piombo, ché in quel silenzio anche le mosche si sentivano volare.

Non ci fu il grido atteso. Ci fu un piccolo craaackkkk: segno che la bottiglietta s'era ridotta in mille pezzi.

Ada con la coda dell'occhio sommerso sotto la palpebra schiusa appena, ad arte, come ce l'hanno i moribondi, le vide ad altezza di materasso le mani magrine di Sasà, tali tremicchianti quelle dita che nello spolpo dell'osso parevano prese da un fulmine.

E che? non facciamo che mi muore per lo spavento... ?! – pensò l'Ada, sinceramente preoccupata, mentre ormai anche il bagnato sul suo petto s'era asciugato, lasciando uno spiegolio crespato nel tessuto di popeline a fiorellini blu.

Lo spavento che il suo Sauro adorato potesse morirci, pavido e coglione com'era, fu tale da farle emettere un leggiero lamento, rassicurante del fatto che lei non era morta. Che ancora respirava.

Un lamento da gatti sulle prime. Ma dopo, poi che Sasà sembrava cascato in catalessi, cominciò a sollevarsi sul torace, ad agitare le mani contro la bocca come in atto di vomitare.

Possibile che Sasà non s'accorgesse? possibile che fosse morto per lo spavento, mentre doveva morire lei, e solo per finta?

Non era morto Sasà. Solo terrorizzato era sí che la scena del salvataggio non era andata propriamente come l'Ada l'aveva pensata.

L'Ada dovette prendere di peso Sasà, peraltro leggerissimo, una piuma, portarlo fino al lavandino, cacciargli la fronte sotto lo sgriccio d'acqua del rubinetto. Rianimarlo con cinque zollette di zucchero. E amen! Quanto a lei, sputacchiò dentro la tazza del gabinetto, cosí giusto per rispettare un certo copione perché Sasà stravolto allampanato com'era non poteva accorgersi di niente.

Solo dopo qualche ora, quand'ormai l'alba invadeva la stanza con la luce del giorno:

– Adaaaa Aaaadaaa morto mi vuoi? che mi combini santa creatura? all'improvviso? senza ch'io mi fossi preparato?... e poi giusto la stricnina? la candeggina la varechina almeno... ché si fa in tempo con il lavaggio delle budella... no la stricnina... un miracolo che sei viva Ada mia... un miracolo dopo la stricnina... forse le preghiere delle tue zie in clausura...

Questo con un fil di voce Sasà e guardava con stupore e maraviglia quella risurrezione che aveva precedenti solo in Prometeo e Lazzaro.

Era proprio quella l'ora della sera in cui cielo e mare sembravano la stessa cosa, visti con gli occhi. Visti col cuore no.

Sasà Azzarello nel lasciarsi dietro i cancelli della Villa Regina Margherita, ormai già sul lastricato del corso, non poté fare a mano di girarsi per un ultimo sguardo, come a imprigionarli, cielo e mare, in quei suoi piccoli occhi di topo.

Sempre piú cancellati dall'osso sopraccigliare che, con l'età, si era per cosí dire dato solennità imponenza.

L'albero di Giuda restava in lontananza, proprio sulla timpa che precipitava a mare. Appena appena se ne intravedevano i rami piú alti, quelli asserpolati e stravolti che tanta paura destavano nei paesani.

I pennacchi arancione erano come spariti nel buio della sera, lugubramente vegliati da grandi lampioni che davano una luce sinistra albicante.

A Sasà, che cielo e mare li guardava col cuore, non parvero affatto la stessa cosa.

Medesimo il colore, forse, quel turchino di magnolia indifeso tra cui svolazzavano ignare libellule destinate a morirci contro ignobili lampioni che restavano lí, a vegliarlo il silenzio della notte.

Solo il colore medesimo ché, quanto al resto, non erano affatto la stessa cosa.

Il cielo aveva il suo affanno la sua vicenda la sua pena la sua luce il suo silenzio, come anche il mare. Ma non erano affatto la stessa cosa. Per una volta Sasà rinunciò a fare filosofia e concluse dicendo piano tra i denti assiepati alla gengiva: *il mare è il mare il cielo è il cielo*.

Se il Cataratta l'avesse sentito di certo avrebbe commentato: – Finalmente una giusta l'hai detta Sasà... – pur forse rammaricandosi in cuor suo di non poter esclamare quel **minghiate minghiaaaaaate** che gli veniva proprio bene con quella **a** della penultima prolungata come fosse un tenore nel bel mezzo d'una romanza.

Ora l'aspettava il ritorno a casa, la cena senza tovaglia sulla carta dell'involto del pane, e la tartaruga Giuda s'era stata piú prudente di lui a non uscire sul terrazzino.

In cuor suo Sasà pregò di trovarcela Giuda. Chissà! sotto il lavandino ad aspettare la goccia dal tubo e rinfrescarsi quel capizzo di collo che si fugava dal guscio in cerca di fresco.

Prima però doveva passare dall'ospizio e lasciarvi Rorò. E quello era uno strazio che ogni sera puntualmente si rinnovava da cinque anni. Con un magone che gli sfondava la bocca dell'anima, e qualche lacrima che il poco pelo delle ciglia impigliava giusto in tempo a non bagnargli il misero telo di carne sul petto.

Dopo che era toccato all'Ada rianimare Sasà per lo spavento d'averla creduta morta, per qualche giorno lui non aveva piú fatto parola di suicidio. Lo spavento era stato grosso, terribile. Del resto che non fosse stricnina lo sapeva solo l'Ada.

Sasà sembrava tranquillissimo, troppo. Cheto come il mare quando prepara la ddraunàra la terribile tempesta di vento.

Non una parola riguardo al *problema*, ormai rassegnato alla sua inettitudine circa la soluzione dello stesso.

Suo padre Cornelio sí che li sapeva trattare i problemi, grandi e piccoli, insignificanti e spaventosi, e risolverli in un niente.

E mentre Sasà tra ammirazione e sensi di colpa pensava a suo padre Cornelio, uomo di polso di temperamento di ferro, ebbe una pensata formidabile, un lampo di genio.

La sua pensata riguardava il cugino Rorò che suo padre Cornelio gli aveva messo alle costole come guardia del corpo partendo da Bulàla, alla volta di Padova.

Sasà da qualche tempo s'era accorto che ogni cinque del mese da Bulàla partiva da parte di suo padre Cornelio un vaglia telegrafico indirizzato a suo cugino Rorò.

Perché mai Cornelio Azzarello poteva mandare danari a quel cretino che detestava da sempre? Da quando nascendo un minuto prima del suo Sasà aveva minacciato di rovinargli la gioia di quell'unico figlio?

Affetto? neanche a parlarne. Neanche per sogno. Una capra, sí, la poteva volere bene. Ma quel cretino di Rorò che gli aveva fatto passare terribili momenti d'angoscia: mai e poi mai!

Per questi motivi e altri (Rorò cresceva grande biondo muscoloso un gigante, mentre Sasà nero peloso mingherlino) piú d'una volta era stato sul punto di tirargli il collo al nipote Rorò.

E allora? qual era il debito contratto da Cornelio con il nipote? Quali i favori da ricompensare lautamente in danaro con un mensile fisso?

Certo una faccenda a cui Cornelio doveva tenere moltissimo a giudicare dalla puntualità del vaglia e dalla consistenza della somma. (Rorò spendeva e spandeva come mai al paese. Scarpe nuove giacca a doppio petto...)

Doveva trattarsi d'una questione seria e delicata che forse lo riguardava, *... ma sí certo... sicuro come aveva fatto a non pensarci...*

Gli occhiuzzi di ratto di Sasà si illuminarono all'improvviso perché aveva capito, infine, cosa legasse Cornelio a Rorò.

Rorò coi danari dello zio se la spassava, locali donne sigarette, e se ne fregava di spiare il cugino Sasà, perché proprio come aveva profetizzato Cornelio al momento della partenza alla Stazione centrale di Catania, in mezzo a pacchi pacchetti valige borsoni ceste di limoni per la diarrea e d'arance per l'influenza... – *il Continente dà alla testa... piú del vino attenti mi raccomando... il Continente se li mangia i picciotti... senz'esperienza...* – il Continente gli aveva dato in testa e lui, Rorò, si comportava come uno che, avendo perduto la memoria, viva per un istintivo presentimento nel terrore di ritrovarla.

Anche un'altra cosa aveva capito Sasà, e quest'ultima gli accendeva gli occhi come fuochi d'artificio.

Aveva capito come dare una soluzione al suo assillo, come sgravarsi dall'angoscia che ogni oncia di carne gli aveva divorato (solo pelle era ormai solo pelle trasparente come le porcellane...) come non fare torto a suo padre Cornelio ai suoi principî nascondendogli l'amara verità sulle condizioni dell'Ada.

Sarebbe stato Rorò a informare suo padre e lui a informare Rorò. Doveva avere l'aria d'un grande segreto, d'una confessione delicata, e cosí studiato il tono della voce (greve solenne accorato) le parole (enigmatiche spettacolari esplosive), il ciglio (aggrottato aggrondato annuvolato) esordí:

– È questione di vita o di morte... Rorò... se parli è la tragedia... se la notizia arriva a Bulàla è la fine... intesi Rorò? gran segreto... mi raccomando bocca cucita... da uomo a uomo...

Rorò che non era affatto cretino come lo pensava lo zio, ma solo un po' stordito, un po' lento di carattere piú che altro, colse nelle confidenze del cugino Sasà l'occasione d'una vendetta perfetta, da anni agognata, invano inseguita inutilmente ché Cornelio con la sua parlantina da Direttore didattico l'aveva avuta sempre vinta. E non se la lasciò sfuggire.

Una bomba sicuro! Come una bomba tra le mani gli doveva esplodere la notizia!

La friulana... i buoi scappati dalla stalla (allusione alla consumata verginità)... Sasà nella trappola d'una buttana... il lardo rancido...

Tutto, proprio tutto c'era: Rorò era diventato lestissimo di cervello nell'addizionare le digrazie di Cornelio, sí da farlo letteralmente impazzire a Bulàla, dov'era. Sí da fargliello schizzare il cuore come una cozza dal guscio!

E pure il fegato.

Alle otto in punto di mattina del tre di luglio all'apertura dell'ufficio postale partiva il telegramma. Non prima perché di notte il servizio veniva sospeso.

Ci studiò tutta la notte Rorò sul testo del telegramma con la penna in mano.

Senza un attimo di cedimento senza sonno senza fame né sete. Solo quattro volte a pisciare per una cistite cronica.

Studiò il tono (sibillino funesto fatale) le parole una a una (chiare – ma non troppo – lancinanti – moltissimo! – irreparabili).

Per la prima volta nella vita Rorò credette di volergli bene a Sasà, che gli offriva una cosí eccezionale occasione di riscatto.

Che Rorò fosse stato efficacissimo nella stesura del telegramma lo possiamo confermare dallo sconforto dalla prostrazione in casa Azzarello il tre di luglio alle dodici in punto. Ora della fatale consegna.

Una settimana dopo, per l'esattezza il dieci di luglio – non un giorno di piú né uno di meno – Cornelio Azzarello con le basette a virgolone sulle guance tenute insegate dalla brillantina, era al binario 1 della stazione centrale di Catania ad aspettare il treno dal Continente, col prezioso carico del suo Sasà.

Cornelio aveva impegnato per tutto il giorno l'unico tassí di Bulàla, un macchinone a otto posti che gli costava 1800 lire.

Ma che importa! anche diecimila centomila tutto pur di salvarlo il suo Sasà, che tornava come una recluta ferita al fronte – pensava il Direttore didattico Cornelio Azzarello mentre il treno in lontananza s'annunziava con tale sventolare di braccia, dai finestrini, che parevano panni stesi ad asciugare.

La partita era decisiva e lui non doveva sbagliare d'una mossa, non una che fosse una!

Il macchinone nero, il petto in fuori, l'imponenza naturale della sua figura dovevano immediatamante far capire alla friulana di qual tempra fosse il nemico, quale il suo coraggio, quale aspra la pugna.

Del resto la pedagogia (benedetta Pedagogia!) non diceva forse che i figli ribelli si dovevano prendere con le buone? Che la ribellione è autonomia personalità coscienza di sé?

E lui i guanti gialli usava. Tutto tutto pur di riavere il suo Sasà!

Quei due chilometri di binario sembrarono a Cornelio Azzarello interminabili. Forse piú della distanza tra luna e sole.

Ma si capisce fremeva in cuor suo, ché quel suo figlio stravagante era, una ne pensava e cento ne combinava!

Chissà... quelle due cretine che aveva a casa! si poteva fidare? – in quel momento pensò a sua moglie e a Carolina – avevano capito tutto? per filo e per segno?

Bisogna chiarire che Cornelio Azzarello, dopo il telegramma assincopante, un'intera settimana c'era rimasto tappato in casa.

Primo per studiare il caso e gli interventi, cercando sempre le soluzioni gli esempi sui testi di pedagogia.

Secondo – questa era stata l'impresa piú improba – per ammaestrare le due cretine riguardo al piano e alla strategia da lui preparati meticolosamente.

Ma quelle, dure di cervello erano. Capivano, non capivano, se lo scordavano, indugiavano, si confondevano, tornavano a chiedere... una disperazione! tenuto conto che il caldo era micidiale.

E lui, Cornelio, come unico conforto alle sue disgrazie, non aveva altro che le limonate col ghiaccio della ghiacciaia, tanto che, spremi spremi, a Carolina s'era storto il polso.

Il piano prevedeva non un attacco frontale scoperto con minacce e intimidazioni del tipo:

– Basta, Sasà!... te la devi scordare questa buttana... fuori ti butto... il cornuto vuoi fare?

(Anche perché alla domanda *il cornuto vuoi fare?* Sasà avrebbe risposto candidamente – ah minghione con gli occhi intuppati (ciechi): – *sí!* per quello che gliene fregava...)

No, niente di tutto questo. La falange nemica andava indebolita ai lati, alle *ali*, con mosse sotterranee velocissime, facendo finta di niente.

Una parolina oggi, una domani, buttate là a caso, di quelle inturciniàte (ambigue) che solo Sasà doveva intendere.

Un ruolo fondamentale, però, ce l'avevano le due donne di casa, le cretine, Tommasina e Carolina, nel senso che dovevano servire a dare l'idea alla friulana di cosa l'aspettasse, una volta moglie di Sasà. (A questo remotissimo lugubre pensiero Cornelio tremicchiò tale nei ginocchi che a momenti ci finiva lui sotto il treno).

Le sue istruzioni alle due cretine erano state chiarissime. Mille volte le aveva ripetute. Per filo e per segno.

Pazienza se era estate. Pazienza se c'erano quarantadue gradi! e un'afa da scorticare la lingua se solo si aveva l'avventatezza di tirarla fuori dalla cavea del palato!

C'era da ustionarsi a spaccare pomodori sul terrazzo sotto un sole che faceva le piaghe ai muri? pazienza!

C'era da spaccarsi la schiena lavando la scala tre cinque volte al giorno? pazienza!

C'era da pulire trippa da mane a sera? pazienza!

Le due donne si dovevano mettere in testa di pazientare di fronte a qualunque sacrificio, se serviva a salvare Sasà.

Cornelio aveva fatto un'immane provvista di trippa in due giornate di macello al mattatoio comunale.

La trippa, soprattutto nella parte delle *millepelli*, era faticosissima da pulire, e Cornelio pensava che Carolina coi trenta chili di trippa che lui aveva stipato all'uopo, nella ghiaccera, avrebbe reso perfettamente l'idea di moglieserva che, per analogia, per associazione di idee, avrebbe dovuto tale impressionare la friulana da farla scappare, la mattina dopo il suo arrivo...

Cornelio, genio qual era, aveva lavorato di testa. Un dedalo intricatissimo di strategie trabocchetti tranelli elaborato con somma perizia.

A ogni mossa del suo piano era affidato un significato ben preciso, studiato nei minimi particolari. Calcolato al millesimo.

La trippa, che di quello scacchiere era una delle principali e piú sicure pedine, doveva avere un effetto scoraggiante devastante sulla friulana.

Doveva farle capire che gli uomini siciliani non erano come lei li aveva creduti per via di quel minchione di Sasà, che non sapeva comandare né farsi rispettare.

Questo equivaleva – fuor d'*oratio obliqua* – chiaro e tondo a precisare che non tutti erano rincoglioniti come il suo Sasà.

Quella buttana avrebbe avuto pane per i suoi denti! Con lui, uomo di mondo, baffo torto, se la doveva vedere. Altro che Sasà!

Questo fu l'ultimo proponimento di Cornelio mentre ormai a frotte sciamavano dal treno i passeggeri, sul binario 1 della stazione centrale.

Cornelio Azzarello riconobbe Sasà da un orecchio scuro color melenzana, col padiglione a ventaglio, che spuntava dalla spalla d'una ragazzotta alta due metri, a occhio e croce.

L'orecchio color melenzana era proprio di Sasà, la ragazzotta era lei, la friulana.

Gli morí il cuore a Cornelio nel vedere Sasà cosí ridotto. Uno scheletro. Una canna una larva uno spaventapasseri sotto la giacca nuova del corredo.

Ah cuore d'un padre! Ah tormento d'un genitore! E non poter dire una sillaba. No, anzi camuffare, sorridere, far finta di non vederli quegli ossetti allibiti che sulle spalle quasi foravano la giacca nuova di Sasà, tanto erano vedovi di carne!

Anche il fatto che Sasà fosse sceso, timoroso, con la testa inficcata nel petto, dopo la friulana alta due metri, era per Cornelio la conferma del peggio, che peraltro lui aveva sospettato.

Il suo Sasà era nelle mani di quella cavallona. Lui il cavallo, lei il cavaliere (come si diceva a Bulàla). E lo comandava a suon di frustino.

Pezza da piedi il suo Sasà che camminava dietro alla buttana come uno straccetto d'ombra, se non fosse stato per l'orecchio che, almeno quello, non era ombra. Un po' di cartilagine c'era rimasta.

Due ore e mezzo di Piana, nel tassí a noleggio, sotto un sole che cuoceva le pietre.

Eppure Cornelio aveva l'impressione che Sasà sentisse freddo, vedendolo accucciarsi nella giacchetta come chi cerca conforto di calore.

Si sentiva solo la friulana: *caldo caldo che caldo... che*

caldo! e col lembo della gonna, scoprendo buona parte della coscia, si faceva aria.

Solo quello sapeva dire la buttana – pensava Cornelio curvando il labbro superiore verso le narici affilate come a dire: *troia ancora che hai visto? quante storie per un po' di caldo... il meglio deve venire... sicuro deve venire...*

Sasà se ne stava muto, un pesce. Sasà oratore fino, nato coi sofismi in pizzo di lingua, meglio di Dione di Prusa, muto gli tornava dal Continente. Muto.

Ah cuore d'un padre!

Muto pure l'autista di piazza che guardando la friulana dallo specchio faceva smorfie eloquentissime con la bocca, turciniandola di continuo, come a dire...

Povero Direttore Azzarello!

Proprio come sospettava Cornelio, prima invidiato ora compatito, le critiche le commiserazioni i risolini le gomitate per lui sarebbero stati. Su di lui gli avvoltoi della piazza si sarebbero avventati a sbranargli le carni, ad alzare il sopracciglio in senso di sfottitina!

Lui era il cornuto agli occhi di tutti. Cornuto, un Direttore didattico, per via d'una cavallona friulana...

Ma la battaglia era solo all'inizio.

Cornelio Azzarello in macchina pensò, tra l'altro, nelle tre ore quasi di viaggio, che il culo della friulana era svasato come una giara. Segno d'una femmina quand'è guasta, quando non è piú vergine.

Bastava vederla camminare con quel culo a giara e tutti a Bulàla l'avrebbero capito. Non si poteva, quindi, nemmeno tentare una qualche menzogna.

Quella è buttana, non c'è niente da fare ce l'ha scritto anche sul culo, pensava a momenti, sconsolato, Cornelio mentre il macchinone Mercedes attraversava quel tratto della Piana all'altezza di Mineo dove l'aria precipitava con la furia dei tizzoni ardenti.

A calci in culo la rimando a Padova... o nelle sue Prealpi dove piú sono i buoi (e pensava ai cornuti!) *che i cristiani...*

progettava con fiero spirito guerriero il Direttore Azzarello, superata la Piana, dopo le curve di Grammichele dove l'aria rinfrescava un poco. E pure i suoi pensieri.

L'arrivo a casa era stato perfetto. Tranne il fatto che tutto il vicinato era fuori come quando passava la processione della Madonna.

Farabutti delinquenti serpi zecche, pensava Cornelio nel dare le 1800 lire pattuite all'autista, *già la croce mi vogliono gettare... schierati come una mandria di bufali... e ancora non l'hanno vista camminare... figuriamoci appena cammina con quel culo a búmmulo...*

Ah Sasà! che hai combinato figlio mio!?

Ah Sasà curína del mio cuore!

E come ti salvo io?... ma l'hai visto che culo Sasà?!

Recitava muto Cornelio, e un po' se ne dava la colpa della disgrazia di Sasà ché poca esperienza di femmine gli aveva fatto fare.

Due sole volte al casino! povero ragazzo, come poteva insospettirsene dal culo Sasà?...

Ah fosse stato lui!... fosse toccata a lui una simile faccia di buttana che per giunta il matrimonio voleva...

Invece no! era toccata al suo adorato Sasà, figlio di famiglia che neanche le unghie da solo si sapeva tagliare! Un ingenuo un poeta un filosofo, Sasà. Lui rime conosceva sonetti endecasillabi terzine e quartine... Non culi a giara!

Carolina era lí sulle scale secondo l'ordine ricevuto, con uno spazzolone da strigliarci i cavalli. Alle prese con i gradini già dalle sette del mattino.

L'aveva lavata, la scala, da giú a su dieci volte, mentre

che di solito si lavava non piú di due volte al mese, se non aspettavano visite.

Cornelio aprí il portoncino con un cuore sí e un cuore no (avevano capito tutto le due cretine? c'era da fidarsi? l'avrebbe trovata Carolina sulla scala a sbottare sangue e sudore?)

Alla vista di Carolina, piegata in due con tale una smorfia di dolore di sofferenza come neanche quella volta che aveva fatto la peritonite, Cornelio si fece animo: bene bene!

In cucina, al primo piano, sua moglie Tommasina puliva trippa col coltellaccio da macellaio.

Ai piedi una pilozza d'alluminio piena di trippa sporca. Allato un secchio, sempre d'alluminio, dentro cui finiva quella pulita già.

Sul viso della donna lo stesso disfacimento la stessa contrizione lo stesso spasimo di Carolina.

Bene! le due cretine erano state di parola.

Cornelio Azzarello che in virtú della pedagogia contava di risolvere la questione senza urla né minacce, sebbene... dio solo lo sa... quanto gli schiattasse il fegato, aveva predisposto questa messinscena d'arrivo al fine d'atterrirne la friulana e liberarsene, una volta per tutte.

La faccenda, però, si prospettava meno semplice di quanto lui l'avesse pensata.

Tanto per cominciare, Cornelio vide fallire miseramente ogni tentativo di fare dormire l'Ada nella stanza al primo piano, quella di Sasà. La migliore, con un bel balconcino, gli stucchi attorno al lampadario, e uno scrittoio in pura noce.

Di conseguenza fallí anche il progetto di mettere a dormire Sasà nella stanzetta sul terrazzo, di solito usata come ripostiglio per le scope gli stracci i secchi, con l'intenzione di scucchiariarlo (separarlo), già dall'inizio, dalla cavallona che se l'era spolpato fino all'osso. Uno di qua uno di là, c'era nelle intenzioni di Cornelio.

Le cose non andarono affatto cosí, anzi Cornelio dovette rassegnarsi a cedere la sua camera matrimoniale, dove piú che ronfi scorregge catarro non s'era mai sentito null'altro.

Ma forse era meglio quella convivenza a letto dei due. Avrebbe messo in chiaro, senza bisogno di discorsi, tra lui e suo figlio Sasà che la friulana era buttana. Buona tutt'al piú per il letto, per una convivenza more uxorio, di quelle che cominciavano e finivano in un lampo, senza problemi senza intoppi.

Ma quanto a sposarsela in chiesa col velo di tulle, l'organo per l'Avemmaria, i fiori d'arancio, i confetti e tutto il resto: mai! Mai e poi mai.

Sasà capiva benissimo il tacito messaggio di suo padre Cornelio che, stranamente, acconsentiva senza fare storie, quasi di buon grado, a farlo dormire assieme all'Ada, nella medesima camera. E in un disperato estremo tentativo di salvare il salvabile aveva cercato di dissuadere la ragazza... Inutilmente.

Mentre Carolina e Tommasina allibite per questa soluzione inattesa cambiavano le lenzuola di percalle nel letto grande e vi mettevano quelle di lino con le applicazioni al tombolo delle grandi occasioni, Cornelio commentava con un sorriso aperto, tale che se ne vedevano le gengive rosse infiammate intartarite:

Giusto... giusto Sasà, ragione ha la signorina! ... gli innamorati insieme devono dormire... ci si diverte da giovani... non da vecchi... è vero signorina Ada? ho ragione?

Le parole di Cornelio giungevano come una mina a far saltare in aria ogni propugnacolo di Sasà, ogni tentativo di difesa del suo disperato sciagurato amore.

Dopo le prime due settimane, mentre la friulana, lungi dal partirsene, cusciuliàva per casa felicissima, con tale spavalderia come già fosse la padrona, Cornelio Azzarello si trovò ad affrontare un nuovo inatteso problema.

Carolina e sua moglie Tommasina si erano ammutinate. Niente piú scale, niente trippa, niente salsa di pomodori sul terrazzo al sole cocente.

Carolina minacciava anzi d'andarsene dalla casa di Cornelio dopo una vita di convivenza, portandosi dietro la sua lauta pensione d'invalidità.

Questa minaccia riguardo alla pensione, che di fatto da sempre intascava Cornelio, aveva tagliato la testa al toro.

Con la pensione di Carolina infatti Cornelio Azzarello ci mantenava Sasà a Padova, ci concimava la vigna fuori paese. Ne restavano escluse solo le spiatine di Rorò che Cornelio pagava a parte, dal suo stipendio di Direttore didattico.

– Basta! quando è troppo è troppo... – protestavano le due donne, sí efficacemente, sí proterviamente che Cornelio s'era affrettato a chiudere la schermaglia con un armistizio a loro totale vantaggio.

Quando uno ha una guerra da vincere, non si può perdere in una scazzottata!

La friulana mangiava ch'era uno spavento. Specie per la trippa a spezzatino, cucinata con la cipolletta il basilico e il pomodoro fresco, ci perdeva la testa.

– Squisita... una scicchería... sí ancora sí un altro po'... una meraviglia la s'è! – (e quando diceva *un altro po'* la friulana intendeva dire un intero piatto, che tradotto in ore lavorative di Tommasina, addetta alla pulitura della trippa, equivaleva a tre se non quattro ore).

Pure se non diceva niente, Tommasina che tutto luglio aveva passato con la trippa sotto il naso aveva assunto tale feroce aggrottatura della mascella da preoccuparsene non poco il marito Cornelio.

Le fatiche vere e proprie del Direttore Azzarello non erano alla Piazza e sul corso Vittorio. Sebbene ogni giorno, con quel caldo che faceva bestemmiare i santi, Sasà e la friulana col pantaloncino corto davanti, e lui dietro.

Dietro a scongiurarlo, prima ancora che potessero formularlo, quelle piulacce dei paesani, l'atroce pensiero: *la buttana si portò Sasà bell'acquisto fece al Continente!... Il Direttore Azzarello cornuto lo fece il figlio sí cornuto doppio...* con quella risatella di chi sicuro di non avercele le corna è implacabile con chi invece ce le ha.

Cornelio Azzarello, sottovoce, con la gengiva orribilmente contratta diceva:

Si diverte... Sasà giovane è... il sangue ce l'ha caldo e si diveeeerte... l'amica s'è portato per qualche giorno... si diveeerte il ragazzo ché poi a settembre deve studiare...

Arrivato al *si diveeeeerte* Cornelio Azzarello aggiungeva una strizzata d'occhi e uno strano schiocco della lingua che chiariva ogni cosa riguarda al *divertimento* di Sasà.

Il povero Sasà, invece, era ancor piú costernato per lo strano comportamento di suo padre.

Era chiaro che suo padre sapeva tutto. Questa l'unica certezza. Eppure non lo chiamava a parte, non lo minacciava, non gli tagliava i viveri, non l'afferrava per il collo a romperglielo come si faceva coi tacchini.

Anzi lo accontentava in tutto e per tutto.

Questo peggiorava la sua angoscia, il suo stato d'animo già a pezzi, e, non ultimo, distruggeva ogni sua speranza sul fatto che potesse risolverla suo padre la *faccenda*, di sua iniziativa a suo modo, liberandolo cosí da una interminabile agonia.

Che senso aveva, sennò, averne informato Rorò?

Lui la battaglia voleva, la sfida, il duello con suo padre Cornelio all'ultimo sangue e poi, sconfitto, mettersi il cuore in pace.

Avere la coscienza d'essere stato un vero uomo, d'avere lottato come un titano per il suo amore, e di dovere soccombere al fatal destino.

Allo strazio di vivere senza la sua adorata Ada. Unico amore della sua esistenza.

Padre e figlio in realtà miravano alla stessa cosa al medesimo risultato. Ognuno dei due però voleva agire sotterraneamente scavando nell'ombra, come una talpa, lasciando intendere all'altro di volere la cosa opposta.

Un pensiero tortuoso farraginoso faticosissimo che trovava però padre e figlio sulla medesima lunghezza d'onda.

Sasà non se la voleva sposare affatto l'Ada ma voleva che ciò avvenisse non in virtú d'una sua presa di posizione, giusta o sbagliata che fosse, né per un suo cosciente responsabile rifiuto a sposare l'unico amore della sua vita.

Voleva invece esserne impedito a tutti i costi da suo padre Cornelio. Voleva la sconfitta sul campo. Voleva patire lacrimare sanguinare e, se era necessario, anche la crocifissione.

La sua morale cercava il sostegno d'un alibi importante per non sposare l'Ada. Il suo mancato matrimonio con la friulana doveva dipendere da una violenza da lui subita, da una costrizione fisica e morale di cui lui fosse vittima sacrificale.

Il Sasà cittadino cosmopolita intellettuale riformatore illuminista non avrebbe mai acconsentito a non sposare l'Ada a causa della sua perduta verginità.

Voleva, invece, subire tale cruenta violenza da essere costretto a non poterla sposare.

Sasà c'era sceso in Sicilia con l'Ada non per convincere Cornelio a fargliela sposare. Tutt'altro! perché Cornelio glielo impedisse con ogni mezzo, anche la tortura (segregazione frustate acqua bollente sui genitali) di modo che lui dovesse rinunciare all'Ada solo perché stremato, vinto. Come Ettore ucciso da Achille.

Lui Sasà la pugna cercava, l'Inferno, la sconfitta, e dopo tutto questo patire, la santa pace. La liberazione.

E invece? quale Inferno!

In casa c'era una pace degli angeli in apparenza. Per non parlare poi delle granite, le pastarelle al caffè in Piazza, i maccheroni col sugo, la trippa a spezzatino, la pasta con le sarde e il finocchietto, la marmellata di mele cotogne, le focacce con la tuma e i broccoli...

Cosa aspettava suo padre per principiare le ostilità? Che diavolo s'era messo in testa?

Perché prolungare il supplizio dell'attesa con anguria e maccheroni?

Questi erano i terribili interrogativi di Sasà, il suo tormento, la notte, mentre l'Ada al suo fianco faceva il sonno degli angeli.

Quel *divertimento* di cui parlava suo padre era lontano anni luce dai suoi pensieri.

Il suo inguine era come narcotizzato, scimunito, alluppiàto. Inerte, gelido come la trippa nella ghiacciaia prima che Tommasina la pulisse.

Quanto all'Ada, da quando erano a Bulàla non faceva che mangiare e dormire.

Ai fianchi aveva messo almeno cinque chili, in due settimane, e quella carne ammansita di grasso, le tirava ancora piú giú lo svaso del culo. Con tutto quello che comportava l'esegesi di quella fisiognomica agli occhi dei paesani.

Sasà il trentun luglio, già allo stremo totale (non mangiava non dormiva, aspettava e aspettava, logorandosi il cervello nell'attesa) prese la decisione che, a suo dire, avrebbe risolto la questione una volta per tutte visto che piú non poteva contare su suo padre.

Probabilmente la lontananza aveva affievolito la grande affezione d'un tempo.

Che delusione però! – pensava accorato Sasà.

Che delusione gli dava suo padre!

E dire che proprio da lui si aspettava lo scioglimento di quell'infernale matassa, che anche le ossa ormai gli divorava di minuto in minuto. Peggio della setticemia.

Suo padre non accennava a prendere posizione, anzi era arrivato persino a fare qualche complimento, sia pur di riflesso, alla friulana.

Lodava di continuo la mentalità continentale, libera da schemi e pregiudizi, con discorsi che solo Sasà capiva dove andavano a parare.

Benedetto il Continente... là un uomo è un uomo qua è solo *schetto* (celibe) o maritato... il concetto *uomo* non esiste... prima di tutto la prigionia chiamata matrimonio... Ah benedetti voi continentali che avete la testa larga e non ci tenete al matrimonio... quello che conta è il sentimento... solo quello conta altro che la carta in municipio...

E parlando di carte pensava al suo Sasà che nello stato di famiglia con lui figurava nella qualità di figlio adorato: **Sauro Azzarello figlio studente** c'era scritto, al terzo posto del certificato, dopo Tommasina e prima di Carolina.

E lui, Cornelio Azzarello, grazie alla pedagogia non l'avrebbe perso dallo stato di famiglia quel suo unico figliuolo.

Cornelio e Sasà, padre e figlio, si studiavano a vicenda. Immobile l'uno, immobile l'altro come due che si sfidano a duello, in attesa delle reciproche mosse.

Nessuno dei due prendeva iniziativa. Tre settimane erano passate, la friulana ingrassava a vista d'occhio, mentre Sasà avrebbe potuto fungere da spaventapasseri nel piccolo vigneto degli Azzarello in contrada Costa Zampogna, a ovest di Bulàla.

Cenni, negli ultimi giorni, ce n'erano stati da parte di Cornelio Azzarello.

Sasà l'aveva notato, ma erano minimi, schegge, botti impercettibili mentre lui d'un bombardamento aveva bisogno.

Quali i cenni? quali i sottintesi tale subdoli sotterranei che persino Sasà stentava a catturarli?

Capitava di frequente negli ultimi giorni che a tavola Cornelio si toccasse insistentemente la fronte.

Per la friulana era sudore o prurito. Per Sasà erano corna. O meglio Cornelio disegnava con le dita della mano la topografia che piú comunemente si assegnava alle corna. Ecco come la verita non è mai una e una sola, pur essendo sempre Verità. Verità, nella fattispecie, e quella di Sasà e quella della friulana.

Il trentun luglio Sasà prese l'ultima decisione. Quella che lui in buona fede in quel momento pensava ultima definitiva.

A pranzo la situazione era precipitata e suo padre Cornelio sembrava addirittura rimbambito, un'altra persona.

L'occasione era venuta proprio da Cornelio Azzarello che pontificando sulla mentalità continentale non aveva perso occasione d'esorcizzare la parola MATRIMONIO.

L'Ada, pur se impegnata seriamente con la coscia del tacchino al sugo di pomodori freschi, aveva detto la sua:

– El matrimonio prima de tuto, a casa semo tre fie femine e le mie sorele le s'è già a posto maritate co' la santa chiesa e la benedizion... noi semo cristiani, non volemo star in peccato mortale... mi voio il matrimonio, non se discute... il matrimonio!

E aveva finito giusto in tempo, prima che l'altro nuovo boccone piú grosso le soffocasse la parola in bocca...

Per Sasà quella era stata la goccia che faceva traboccare il vaso!

A quella provocazione suo padre se n'era stato zitto. Non una sillaba, non una smorfia, non un urlo, non quel borboglio soffocato tra le budella che sa d'esplosione, di furore.

Incredibile! Cornelio se n'era stato zitto. Solo le orecchie di Sasà avevano coltivato l'impossibile sogno di sentirlo l'urlo di suo padre indignato, la giusta esplosione di chi viene provocato perfino in casa sua.

– Cristiane siete? buttane siete buttttaaaaaaaane buttanissime, troje col giummo, sucacazzi transalpine siete... il matrimonio? granfaccia di... la vita ci levo a mio figlio piuttosto!... con le mie mani ce lo taglio il cazzzo... io ce l'ho messo e io ce lo taglio sissignora troja... bagascia dolomitica io ce l'ho data la vita a mio figlio e io ce la levo con queste mani...

Questi anatemi, queste ingiurie, queste minacce avrebbe voluto, piú d'ogni cosa al mondo, sentire Sasà dalla bocca di suo padre con la bava nel cannarozzo e gli occhi sputati fuori...

E invece? niente.

Cornelio Azzarello come niente, senza scomporsi d'un pelo, era arrivato alla frutta. Un piattone di fichi neri.

Sasà completamente digiuno – l'unico boccone di tacchino per traverso gli era sceso – aveva capito da quell'episodio che la decisione ritornava nelle sue mani.

Suo padre non era piú lo stesso Cornelio Azzarello, eppure solo otto mesi erano passati!

Era stato inutile scendere in Sicilia, logorarsi nell'attesa infinita... Il grattacapo restava a lui con tutto il suo carico d'affanni e fantasmi.

Fu a letto alle tre del pomeriggio del trentun luglio con un'afa che seccava i pensieri dalla radica (non però i pensieri di Sasà riguardo alla nuova pensata, al progetto che definitivamente avrebbe posto fine alla sua sciagurata storia d'amore), l'ora fatale in cui Sasà comunicò all'Ada la sua nuova decisione.

Decisione che nasceva soprattutto da questo ragionamento elementare: escluso il partito del matrimonio, non restava che il suicidio.

In che cosa poteva dirsi nuova questa risoluzione? Poteva dirsi nuova nel senso che Sasà proponeva un suicidio di coppia contestuale.

Lui e l'Ada sarebbero morti insieme. Nello stesso istante. Nessun sopravvissuto, come Romeo e Giulietta, solo che lo scenario si spostava da Verona a Bulàla. Ma Sasà sosteneva giustamente che le geografie non condizionano per niente i grandi amori.

Era questa la variante geniale che Sasà aveva apportato alla vecchia questione del suicidio dell'Ada, che anche questa volta non se lo fece dire due volte.

Scesa a precipizio dal letto come per andare a fare pipí, tornò, un attimo dopo, con una pistola in mano che aveva intravisto giorni prima nello sgabuzzino delle robevecchie, sul terrazzo, dove Cornelio avrebbe voluto far dormire da solo Sasà.

Sebbene Sasà la sapesse scarica – un vecchio cimelio di suo nonno Rolando – già solo a vederla tra le mani dell'Ada tale si spaventò che sotto il lenzuolo, testa comprese, se ne vide appena una sagoma di gatto.

L'Ada con spavalderia (lo conosceva assai bene Sasà, lo sapeva ch'era pavido e che, gira e rigira, la faccenda del doppio suicidio sarebbe andata a monte) disse che per prima Sasà sparasse a lei e poi a se stesso e si stese su un fianco, mezzonuda, indicando col medio la tempia sinistra.

Sasà voleva arrivarci al suicidio ma, a poco a poco, ragionandoci sopra, insomma affezionandocisi all'idea piano piano (come da vecchio avrebbe tentato di fare con l'albero di Giuda). Sinceramente si preoccupò della determinazione della sua Ada, che sic et simpliciter voleva passare all'azione. Senza gli adeguati ragionamenti. Senza i dovuti preparativi.

Tempo ci voleva – pensò stremato di sudori freddi Sasà – tempo... e che? tutta questa fretta aveva l'Ada? non pensava ad altro, benedetta figliuola?

Addirittura: *io prima tu dopo*... aveva detto.

E che? Queste cose vanno meditate ragionate studiate a puntino per riuscire a regola d'arte – si diceva Sasà.

Poniamo caso che uno (l'*uno* valeva per lui) poi non ce l'abbia la forza di rivolgere l'arma contro se stesso, per la vista dell'amata morta, che succede a quel punto? che un suicida dai migliori propositi diventa assassino, omicida. No, mai e poi mai. Sopravvivere all'Ada, al suo amore, e per di piú in galera?

L'Ada era una creatura meravigliosa – non c'erano dubbi – però rustica, tutta d'un pezzo, facilona.

Possibile, creatura adorata, che non ci pensasse a queste evenienze, che non ne calcolasse per tempo gli accidenti, le conseguenze?

La pistola doveva scomparire immediatamente ché per come lui la sapeva decisa l'Ada – e Sasà a questo punto ricordava dell'avvelenamento con la stricnina – si dovevano scartare assolutamente le armi letali. Quelle devastanti cui non si sarebbe potuto piú rimediare in alcun modo, in caso di ripensamenti.

Già Sasà vedeva la scena. Ada riversa con rivi di sangue sull'occhio sul volto sul petto e lui, immmobile per lo spavento, le dita tremicchianti, lí accanto come una foglietta di lattuga bruculiata dai vermi. Incapace di condurlo fino in fondo il piano, uccidendosi subito dopo l'Ada...

Sasà sapeva benissimo che il coraggio di darsi la morte di sua mano pum pum puummm, uno due tre spari, non ce l'aveva.

Doveva allora, pur mantenendo inalterato il progetto, pensare a una morte quasi accidentale, una sciagura premeditata dove l'inettitudine del suo agire potesse essere corretta da un intervento spontaneo dei luoghi, del fato, di madrenatura.

I luoghi erano decisivi. E il luogo su cui si concentrarono le speranze di Sasà, era un laghetto artificiale d'irrigazione, prospiciente alla piccola vigna in contrada Costa Zampogna dove gli Azzarello avevano una casetta grezza, giusto per passarvi qualche giorno al tempo della vendemmia, e farvi un po' di mostarda.

Piú che un laghetto era una specie di palude, un acquitrino. Secco per la maggior parte dell'anno, tranne che in inverno inoltrato.

L'acqua era poca – come pure minimo era il perimetro delle sponde – specie in piena estate, per via che a Bulàla non pioveva mai e i contadini se ne servivano per le vigne.

La zona, proprio a causa della stagnanza delle acque, era infestata da zanzare mosconi zappaglioni moscerini insetti d'ogni tipo.

Era zona di malaria, per questo non c'erano case né i contadini ci passavano i giorni di calura.

Lo stretto necessario ci stavano, il tempo dei lavori alla vigna, e via al paese.

Sasà pensò che il lago come lo chiamava lui enfaticamente per via dell'eccesso dell'esuberanza retorica della procefalía linguistica, che gli erano talenti naturali, fosse il luogo adatto al suo piano.

Il lago con le sue acque tempestose (in realtà erano acquette morte infangate, avanzi di cisterna) sarebbe stato la loro tomba e avrebbe custodito in eterno il loro sciagurato amore.

In verità, a fine estate, del lago non restava che un pelo d'acque, tanto che i contadini ne approfittavano per ripulirlo da carogne di randagi, pietrisco, e immondizie d'ogni tipo.

Quindi nel caso in cui fossero riusciti a inabissarsi (il termine spropositato come sempre era quello usato da Sasà) dopo qualche ora, tutt'al piú, sarebbero stati infilzati col forcone del fieno, e riconsegnati, nella cassa da morto, alle rispettive famiglie. Lui, Sasà, a Bulàla, lei, Ada, nel Friuli.

Le proteste della zia Carolina e della sorella riguardo al trasferimento a Costa Zampogna furono terribili piú d'una vera guerra.

Minacce, insulti, gomitate, sputi, cosa non dovette subire il povero Cornelio Azzarello per amore del figlio?

Toccò a lui il feroce bestiale assalto delle due donne, che ben sapevano cosa le aspettava vicino al laghetto. Zanzare a non finire, malaria in agguato, per non dire che la casa era accomodata (mancava la luce, il cesso alla turca era fuori, mancavano i materassi, e non c'era la ghiacciaia cui ormai s'erano abituate).

Non ne avete cuore?... il povero figlio è anche vostro... povera creatura sventurata...

Cornelio parlava al plurale per coinvolgere Carolina in una maternità di riflesso, maternità che le cascava dal cielo.

Carne della vostra carne è la creatura... a una buttanazza lo volete consegnare?... perdere si deve un tale gioiello di figlio? dov'è scritto? dov'è il cuore d'una madre? e che? non me le prendo le zanzare io, e la malaria se servirà a salvarlo il nostro Sasà...

Il tono del Direttore Azzarello era assai diverso dal solito. Si affidava alla pietas all'amore all'indulgenza alla supplica.

Tenero sofferente patetico piagnucoloso. Il groppo di lagrime alla gola, gli occhi persi disperati. Le ciglietté spiumate.

Cornelio Azzarello aveva cambiato solfa, perché se

quelle cretine si fossero intestate col non volersi spostare dal paese, a Costa Zampogna non ci si poteva andare (Chi avrebbe lavato cucinato riassettato nettato il cesso?) e il nobile ingegnoso piano del suo Sasà sarebbe andato a monte.

Cornelio Azzarello credeva infatti d'avere capito – bastava che si guardassero negli occhi padre e figlio – il significato di quella folle richiesta di trasferimento a Costa Zampogna. E ne era felicissimo. Una Pasqua.

Credeva che Sasà volesse annegarla, dentro qualche pozzanghera del laghetto, la friulana, simulando una sciagura. Anche perché era arciconvinto che la friulana non sapesse nuotare.

Quindi anche quei pochi litri d'acqua sarebbero stati piú che sufficienti per annegarcela come si faceva coi gattini appena nati.

Del resto i dintorni erano deserti. Chi doveva sentirle le sue grida d'aiuto?

Chi avrebbe dovuto soccorrerla?

Quanto al dopo – carabinieri autoambulanze perizie – avrebbe pensato lui a ogni dettaglio, a ogni incombenza. A dare ogni spiegazione della disgrazia.

E di lui stimatissimo Direttore didattico, ora che oltretutto era presidente di commissione nel concorso magistrale per il posto di ruolo, nessuno avrebbe dubitato.

Quanto a Sasà chiuso nel suo dolore non gli avrebbe permesso di fiatare né d'incontrare anima viva.

Sasà Azzarello, ogni mattina alle dieci in punto, saliva su una barchetta fatiscente assieme all'Ada e remando con grande sforzo ché il remo incontrava ostacoli d'ogni tipo – lattine carcasse d'animali – si portava in mezzo al «lago» sperando in una tempesta improvvisa che, sollevandone le tacite onde sommerse insino al cielo, uccidesse lui e l'Ada insieme, nel medesimo istante.

Sperava, altresí, in una sorta di diluvio che si sostituisse a lui in quella deficienza di coraggio che gli impediva di prendere la pistola e spararsi secco alla tempia. O dritto in bocca.

Sasà pregava con tutto se stesso che il suo suicidio potesse essere favorito aiutato dalla natura, anzi, piú che dalla natura stessa da eventi soprannaturali.

Ma quale diluvio? quale tempesta? quale evento soprannaturale?

Ogni giorno il sole si faceva piú impietoso, tale che gli aveva procurato una scottatura terribile in testa con vescicole a sangue, mentre l'Ada perfezionava la sua splendida abbronzatura.

Al tramonto zia Carolina per lenirgli il prurito, il dolore delle piaghe, gli copriva la testa con una montagna di patate crude tagliate a fetta. Un elmetto di patate.

Uno spettacolo a vedersi! Del povero Sasà non restavano che due occhietti nichinichi da sorcio, e le grida lancinanti da lupomannaro in piena notte, vuoi per la testa bruciacchiata vuoi per le zanzare che piú api parevano.

Quanto all'Ada, la ragazza s'era proprio scocciata. Non che la impensierisse il fatto in sé e per sé – se anche la barchetta si fosse rovesciata tutt'al piú al ginocchio poteva arrivarle quella fanghiglia – ma trovava ridicola e ormai esasperante la fissazione di Sasà.

A parte la noja mortale, tutto il giorno in mezzo all'acquitrino col sole che arrostiva le pietre, c'era di peggio.

Quel cretino (Ada cominciava a pensare in questi termini di Sasà) la teneva morta di fame. Già in tre giorni chissà quant'era scesa di peso, soprattutto ai fianchi. E come ci teneva a quei fianchi l'Ada! Erano il suo punto forte.

Non lo sospettava minimamente che fossero, invece, i suoi piú grandi accusatori, assieme (ovviamente) al culo svasato.

Dal quarto giorno le cose cambiarono. Salivano regolarmente ogni giorno alle dieci del mattino sulla barchetta per scenderne al tramonto, ma con una cesta di vimini, piena di manicaretti sostanziosissimi.

Niente panini né uova fritte. Ma polli alla campagnola, spezzatino di vitello, triglie al sughetto. Peperonata. C'era proprio di tutto e, poi che la cesta pesava almeno quanto Sasà, la barca cominciava a traballare, con grande felicità di Sasà.

– Chissà forse... se si alza un po' di vento... si capovolge su un fianco... ci inabissiamo...

Mentre Sasà s'addentrava in cotali pensieri, l'Ada ripuliva la cesta mangiando per due. Per se stessa e il suo Sasà che non toccava nemmeno un'acciuga.

– Lo senti?... Mi pare qua alla nuca un filo d'aria... cosí cominciano le tempeste di mare dalle nostre parti con un filo d'aria... c'è nuvolo a est... segno che tra poco ci siamo...

Sasà era cosí preso dai presunti avvistamenti d'una calamità naturale da non accogersi che l'annuvolo a est era in realtà una modesta spirale di fumo da paglia bruciata, e proveniva dalla vigna accanto, dove il vicino bruciava erba secca, di quando in quando.

Sasà si preparava a morire ogni mattina, pure se ogni sera ritornavano al casotto vivi entrambi, almeno in apparenza perché lui... l'Ada chiedeva subito la cena e mangiava ch'era uno sgomento a vedersi.

Poi che i giorni passavano e non succedeva niente – segno che la natura era matrigna con lui, o semplicemente se ne fregava – Sasà pensò che forse andava aiutata, che lui doveva collaborare.

Gli occhi, non piú grandi d'uno spillo, andarono a posarsi sul tappo della barca.

Se lo allentava – pensò in ragione d'un secondo – la barca avrebbe preso acqua e allora poteva bastare a farli inabissare anche un soffio di vento, senza pretendere un tornado.

Sí, andava fatto, il tappo andava svitato e la natura andava aiutata.

Il tappo però marcio com'era se ne venne d'un colpo prima che Sasà potesse svitarlo, e il sughero marcio ammuffito gli si sbriciolò tra le mani.

Inutile dire che Sasà e la friulana tornarono alla casina d'accomodo imbrattati di fango, melma e insetti.

La friulana fino alla coscia per via dell'altezza, Sasà fino al petto. Con una salamandra morta che gli scapizzava da sotto la camicia.

L'angoscia e lo smarrimento che Cornelio lesse quella sera sul volto di Sasà furono pugnalate per lui.

A sua volta Sasà guardava il padre con occhio implorante e accusatorio a un tempo, come a dire: *tu quoque Corneli?*

Cornelio Azzarello aveva perso la speranza. Il naufragio della barca non aveva sortito l'effetto sperato. Era stata una cosa da ridere.

La disgrazia non c'era stata, e la friulana era lí viva e vegeta piú che mai.

Non era servito quel mese di supplizio a Costa Zampogna tra zanzare grandi quanto calabroni, e mosconi che parevano elicotteri, non era servito a niente.

Che forse la pedagogia si sbagliava riguardo a un simile caso? Che forse tanta sciagura andava trattata in modo diverso?

La soluzione arrivò inattesa, quando ormai Cornelio aveva perso le speranze, dalla friulana stessa.

Sotto forma di aut-aut. O Sasà la seguiva subito immediatamento sulla prima *Freccia del sud* in partenza dalla stazione di Catania, o se ne sarebbe tornata da sola a Padova.

Le urla, le minacce, che inutilmente Sasà aveva atteso da suo padre Cornelio, arrivarono insperatamente dall'Ada. Un fulmine a ciel sereno.

Lei per le vacanze – parola sconosciuta alle femmine di Bulàla – era venuta in Sicilia, non per offrire lauto pasto delle sue carni a moschiglioni e coleotteri d'ogni tipo!

Cornelio non se lo fece ripetere. Era quella l'occasione d'oro che gli salvava la vita e l'onore.

Ah benedetta troja friulana!

Andò subito alla Piazza a impegnare il tassí. Quella stessa sera, alle nove, Cornelio assieme alla friulana aspettavano la *Freccia del sud* al binario 1 della stazione di Catania.

Lei a dirgli che Sasà era un inetto, che l'aveva delusa, che aveva un cuor di piccione, ch'era un cretino... un minchione e altro altro altro...

Lui Cornelio ad acconsentire, a dire sí sí sí sí sííííí su tutto.

Sí, Sasà era un inetto un minchione un irresoluto uno sminghiato una femminella un cretino un verme una merda uno sterco e a lui, onorato Direttore didattico, era toccata la disgrazia d'un unico figlio siffatto.

Che non avrebbe detto Cornelio pur di salvarlo Sasà? A quale insulto non avrebbe acconsentito ora che la friulana s'era decisa a lasciarlo?

Sarebbe stato disposto a compromettere insino la virilità, a mettere in forse insino il **capitale** del suo Sasà, con quello che gli era costato quel bluff del *capitale*!

Ma cosa non fa un padre per un figlio!

Certo se il Cataratta avesse conosciuto per filo e per segno questi particolari non avrebbe chiamato *minghiate* la filosofia di Sasà riguardo alla verità.

Cornelio e la friulana si lasciarono tra baci e abbracci, in totale armonia e intesa riguardo alla inettitudine di Sasà, fidanzato dell'una, figlio dell'altro.

Cornelio Azzarello fece ritorno a Bulàla alle tre di notte. Il treno per il Continente era partito con tre ore di ritardo dalla stazione di Catania e lui era stato lí paziente fino a all'ultimo, pur di vederla partire coi suoi stessi occhi, sí coi suoi occhi medesimi, la buttana che voleva fare d'un emerito Direttore didattico un ignobile cornuto!

Anzi Cornelio, grato alla friulana di quella insperata soluzione al suo dramma, portò la ragazzotta a mangiare in una delle piú rinomate trattorie del porto – baccalà fritto triglìola saltata in padella polipi in insalata occhi di bue... – E se ne prese tutti i complimenti.

– Voi sí che siete un uomo di mondo Cornelio... voi sí che avete carattere... voi sí che sapete vivere... voi certo qua... voi... certo là...

Il tassí costò a Cornelio tremila lire, perché si trattava d'un servizio notturno.

Cos'erano tremila lire di fronte a due vite sottratte al barbaro tribale sacrificio d'un intero paese?

Cos'era il volgare danaro tenuto conto che il suo Sasà con lui restava a Bulàla, dimostrando cosí d'essere un figlio degno, un figlio speciale che, obbediente agli insegnamenti del padre, ne aveva fatto suo (benedetto figlio!) il primo e piú importante: *Una buttana un uomo non se la sposa, ci si diverte tutt'al piú!*

Sasà da quell'attore nato che era, con un talento istrionesco polidrammatico proprio da palcoscenico, recitò a meraviglia (ma lui ci credeva beninteso!) la parte del disperato, dell'abbandonato.

Si impose di morire di digiuno, e in effetti per due anni non sedette a tavola con suo padre Cornelio.

Regolarmente, però, tre volte al giorno anche quattro, ripuliva scodelle scodellette tegami con pollo tacchino maiale coniglio all'agrodolce, che la zia Carolina gli lasciava dietro la porta.

Tanto che in meno di tre mesi aveva ripresi a occhio e croce tutti e venti i chili persi, se non qualcosa in piú.

La notte, ogni tanto, per scena, ridava di voler partire, di volere raggiungere l'Ada a Padova. Tanto che specie d'estate con le finestre aperte i vicini avevano fatto intervenire in casa Azzarello le guardie municipali.

In quei casi la zia Carolina lo legava con la cordicella fina del canestro che calava dabbasso per il pane. Due tre quattro giri attorno al petto e ai fianchi, ma lenti laschi a non lasciargli il segno.

Giusto per dargli l'idea dell'impedimento della costrizione della prigionia, per affermare che lui voleva raggiungere l'Ada con tutto il cuore, con tutte le sue forze, ma non poteva.

Che lui subiva sevizie torture per quell'infelice amore, l'unico della sua vita passata e futura.

Poi c'erano giorni in cui metteva due valige sul letto in bella mostra.

Le riempiva svuotando l'armadio (mutande cappotti maglioni calze) e poi aspettava quel divino rumore della chiave che, girando nella toppa, lo sequestrava, gli negava la fuga, lo costringeva alla prigionia, gli impediva, appena un attimo prima, di raggiungere la sua Ada adorata.

Cornelio che intanto era diventato vicesindaco a Bulàla si raccomandava ogni mattina con le due donne di casa:

– Mi raccomando... lasciatelo fare... grida? e voi fatevi sorde... minaccia di gettarsi dal terrazzo? e voi supplicatelo... baciategli le ginocchia... strappatevi i capelli... fate finta di crederci.... vuole scappare? e voi fatelo contento legandolo alla sedia ma leggiero ah? intesi!? mi raccomando Carolina... cosí giusto per finta... ché la pelle d'un arcangelo ha il mio Sasà... i segni ci restano... mi raccomando...

Poi Cornelio, impettito come mai, con passo di granatiere si faceva tutto il corso fino al municipio, fiero sicuro fiero ché tutti a Bulàla lo sapevano con quanta determinazione avesse chiuso la partita. Il suo Sasà a casa, la friulana a Padova.

E ne raccontava di balle a proposito della partenza dell'Ada, dicendo che a calci in culo l'aveva messa sulla *Freccia del sud*.

In ultimo a Sasà venne la fantasia delle lettere. Ne scriveva cento duecento trecento al giorno poi, con teatrale gesto della mano, accartocciate a mo' di palla finivano in una grande tinozza d'alluminio.

Di notte ci pensava Carolina a farle sparire nei bidoni dell'immondizia, e i gatti a farle ricomparire all'alba due tre strade in là, tra le proteste e le risate del vicinato.

Carolina dopo poco tempo s'era accorta che non c'era scritto un bel niente, solo qualcuna cominciava «*Mia adorata... Mia divina mio ineffabile amore... angelo del Paradiso luce degli occhi miei...*», ma quanto alle altre, bianche, immacolate, intatte finivano nell'immondizia. Un vero spreco.

Altro che disperato Sasà! Furbo era, non se le spremeva le meningi a scrivere, solo palle palle palle di carta faceva... e sembrava averci preso gusto.

A chi gli diceva, in giunta, o incontrandolo sul corso: – Direttore per caso è esaurito vostro figlio Sasà? – una domanda piena di rispetto e solidarietà, Cornelio prontamente fiero confermava. Assentiva. Diceva di sí sí certo sicuro. Esaurito era per tutti Sasà.

Esaurito non cornuto! E tutto fiero d'averla risolta la faccenda, non la finiva di dire a proposito e a sproposito, alle riunioni con i maestri come in giunta, ai funerali come ai matrimoni:

– Benedetta Pedagogia! Benedetta Pedagogia! Benedetta Pedadogia!

Anche quand'era solo mormorava *Benedetta benedetta*, tanto che non pochi s'andavano convincendo a Bulàla che anche il padre era esaurito. Non solo il figlio.

Benedetta Pedagogia che gli aveva salvato il figlio! che

insegnava a un padre come trattare un figlio sensibile speciale delicato genio come il suo.

Questo era il motivo di gratitudine eterna di Sasà nei confronti della pedagogia.

Cornelio lasciò per due anni libero Sasà di smaniare lacrimare lastimiare, infine, poi che era tempo di riprendere l'università – a Catania massimo visto che non c'era l'università a Bulàla! – Cornelio escogitò un trucchetto.

Tutto si era concluso nel migliore dei modi. Il suo Sasà era libero, e lui pure. Mancava un ultimo ritocco a che l'operazione salvataggio potesse dirsi perfetta.

Ci voleva un pretesto – falso ovviamente – una calunnia a che Sasà pur continuando a patire per il suo amore perduto, ne avesse motivo di risentimento di astio sí da legittimare agli occhi della sua coscienza il ritorno alla normalità.

Un telegramma, e se non bastava due trecento con allusioni infamanti sull'Ada, che chissà! che fine aveva fatto!

Cornelio affidò il compito di fare il telegramma al nipote Rorò, e lo mandò all'ufficio postale di Catania perché a Bulàla la *manovra* si sarebbe saputa nel giro d'un quarto d'ora.

Il telegramma doveva essere anonimo, soltanto *un amico* come firma. Il testo ovviamente lo scrisse Cornelio emulando lo stile di Rorò che quella volta era stato eccezionale straordinario nel procurargli l'ulcera con quei misteri, quelle allusioni.

Testualmente c'era scritto: **a miglior acque volge le vele la navicella** (cioè la constatazione che Sasà era sulla strada giusta), e ancora: **tanto va la gatta al lardo che ci lascia lo zampino** (questo significava che Sasà era ancora in zona pericolo semmai avesse ceduto alla tentazione di rivedere l'Ada); **l'Arma tiene il banco** (questo significava che l'Ada s'era rimessa col carabiniere palermitano o con tutti i carabinieri palermitani di servizio a Padova).

Anche per questo incarico Cornelio dovette foraggiare per bene quel cretino di Rorò, però non ci fu bisogno d'altro. Bastò quell'unico telegramma.

Sasà parve come rinfrancato dal telegramma che scioglieva l'incantesimo del dolore.

Ora poteva infine uscire dal lutto perché la notizia sul comportamento inaffidabile dell'Ada gliene dava piena licenza.

Sasà non aspettava che questo, e lo dimostra il fatto che pur se vistosamente si notava sul telegramma la località di provenienza: Catania, Sasà non fece domande. Non aprí bocca.

Volle credere al telegramma. E vi s'aggrappò con la disperazione del naufrago tra l'onde.

In cuor suo Sasà sapeva benissimo ch'era tutta una montatura.

Ch'era stato Rorò a spedire il telegramma da Catania sotto le direttive di Cornelio ma il valore della menzogna nell'universo etico di Sasà era supremo assoluto.

Quanto all'Ada nessuno seppe mai dove fosse finita, mentre riguardo a Sasà tutta Bulàla sapeva dell'inferno della sua vita coniugale con Maddalenina.

Una volta l'occhio nero, una volta gli faceva fare notte sul terrazzo, un'altra una bottiglia in testa... un'altra cinque punti all'ospedale...

Nemmeno Cornelio Azzarello aveva potuto farci niente, lui che pure trattava e risolveva ogni cosa con la pedagogia.

Con Maddalenina, però, non c'era stato niente da fare. L'unica volta che s'era impicciato a difesa dell'occhio di Sasà accecato dalla frittata bollente, la reazione era stata feroce e il messaggio era stato del tipo: se non te la fai alla larga ce n'è anche per te...

E lui s'era scansato giusto per tempo, ché alla sua età gli occhi andavano custoditi come un tesoro.

Maddalenina l'aveva scelta lui per Sasà, e soffriva non poco della disgrazia del suo figliuolo ma quando alla Piazza gli dicevano: – Direttore Azzarello vostra nuora una capitana è... povero Sasà... una vittima un cristo.

Prontamente rispondeva:

– ... Sí donna di polso mia nuora Maddalenina sicuro di polso... queste sono le mogli ideali che mandano avanti una casa... e poi tutti lo sanno ch'era pura come il cristallo Maddalenina e Sasà il primo è stato il primo e l'ultimo... (e strizzando l'occhio alludeva all'illibatezza della nuora, titolo, quest'ultimo, che ne annullava qualsiasi neo...) la moglie giusta per Sasà... sicuro non come certe buttane... io gliel'ho scelta a Sasà. Con un solo figlio mica si possono correre rischi evvero? mi capite?!

Sasà dal canto suo sempre in ossequio alla teoria che la menzogna è spesso assai meglio della verità sopportava nascondeva simulava si fingeva contento di Maddalenina, tutto sommato, anche perché aveva fatto suo il postulato paterno pur con la dovuta metatesi che vedeva ora il figlio al posto del padre e viceversa:

Cosa non fa un figlio per un padre!

Alla sua vita per quanto miserabile due cose non erano mai mancate. Su quelle Sasà non transigeva per niente al mondo.

Autocommiserazione, la prima. **Suicidio**, la seconda.

Quanto alla prima gli riusciva perfettamente, in ogni virgola. Quanto alla seconda, faticava un po', ma ora che ci si stava affezionando per davvero all'albero di Giuda chissà! che per la fine dell'estate... chissà!... toccandone il fusto piú spesso o forse baciandolo, sí, baciandolo... – ma ci pisciavano i vecchi la sera quand'era tardi e non li vedeva nessuno.

Sí lo doveva baciare, e accarezzarglieli quei pennacchi che visti da lontano potevano sembrare pappagalli imbalsamati... e poi chissà! dopo l'estate chissà!...

Contento di questa fiducia in se stesso Sasà Azzarello avanzava sul corso in direzione dell'ospizio. Era buio e le stelle precipitavano senza pudore sulla testa calva di Rorò.

– Rorò siamo arrivati. Hai visto che bella seratina abbiamo passato noi due questa sera alla Villa senza quel Cataratta tra i piedi?... Come ai vecchi tempi, vero Rorò? ah vecchio mio... anzi meglio dei vecchi tempi... però che carognata! ti ricordi quella volta del telegramma? io ti ho perdonato... sicuro altro che! se ti ho perdonato... Roruccio mio... poi ora che della famiglia Azzarello noi due soli siamo rimasti o ci vogliamo bene o ci vogliamo bene è vero?... Te lo ricordi il nonno Rolando che pareva una botte, a quanto puzzava di vino? te lo ricordi che diceva degli Azzarello? «Razza d'oro – diceva – buon sangue... come le querce sono gli Azzarello...»

Giunto alla similitudine di nonno Rolando, quella delle querce, Sasà giudicava che non c'era paragone migliore. E lí si fermava.

Lui e Rorò, sia pure per accidenti diversi, erano stati sbattuti dalla vita come panni alla fonte. Un colpo qua uno là... la vita non gli aveva risparmiato niente dal sacco dei dolori... mentre piú avara era stata con la gerla delle gioie... ma forse neanche questo era vero al cento per cento...

Non era una gioia il cuore del mare che lui, lui solo, Sasà Azzarello poteva sentire a dispetto di quella bestia del Cataratta?

E le glicinie della Villa che davano colore al cielo attorcigliandone i fianchi il ventre e ne reggevano le nuvolette basse aggrondate che minacciavano tempesta pure se a vederle sembravano fatte di zucchero a velo, non erano forse una gioia? uno stupore?

E la roccia bruna sotto la timpa cha da mille anni e piú, stretta in un amplesso d'onde, sfidava i raggi del sole offrendogli il proprio corpo, non era una gioia anche quella?

A questo punto Sasà si rivolgeva nuovamente a Rorò cercandone col contatto delle sue dita esili la conferma d'una vita spersa, accucciata in qualche canto. Un'anima che sotto lo sfacelo del grasso del torpore dell'annichilimento doveva pur esserci. Doveva.

– Il fatto è Rorò che da giovani non l'abbiamo capito... da giovani cretini eravamo tutti e due non solo tu... cretino anch'io anch'io...

Rorò parve esserne contento di quella denuncia di stupidità che Sasà faceva di se stesso, pure se dopo avere passato una vita intera a sentire proclami dell'intelligenza di Sasà, della genialità di Sasà.

Ma forse la contentezza di Rorò era solo un'impressione di Sasà, disposto a definirsi cretino, pur d'averne una minima spia di quella vita inerte sulla carrozzina.

– Eravamo due cretini... io soprattutto Rorò – Sasà incalzava sulla sua stupidità, se mai forse poteva essere terapeutica per Rorò.

– Io asino ero, Rorò, io che pensavo alla felicità e all'infelicità come a due cose distinte e separate. Due mondi a parte che non spartiscono niente. Invece non era cosí... nella felicità c'è spesso l'infelicità e viceversa... ecco per esempio il mio amore per l'Ada è stato la piú grande felicità della mia vita, ma anche la piú grande infelicità... Ne sei convinto cugino?

E andava avanti coi suoi postulati, con le sue analogie, felice del fatto che con Rorò se lo poteva permettere, mentre col Cataratta... lasciamo perdere!

– Quando uno è giovane Rorò ha un solo occhio. E con quello una volta vede il bene, una volta il male. A turno, separatamente. Quando uno è vecchio Rorò mio ci vede con tutti e due gli occhi... Il bene e il male li vede insieme. E cosí pure il cielo e il mare, insieme. E il fusto e la foglia della vita, insieme. Mi capisci, Rorò?... e allora tutto si spiega... tutto col miracolo di due occhi che ci vedono alla perfezione! Insieme. Gli occhi Rorò... sono gli occhi che contano – Sasà non si riferiva di certo ai bulbi oculari – gli occhi non le orecchie... solo gli occhi... aperti insieme allo stesso momento a che quell'occhio, quell'unico occhio della giovinezza, non la faccia da padrone con la scusa di saperla lunga sul mondo, sulla felicità, e tutto il resto. Quando da vecchi anche l'altro occhio comincia a vederci, il primo non può piú spadroneggiare, non può piú fare il furbo... evvero? l'hai capito che va cosí vero Rorò mio?

Tutte queste domande a Rorò Sasà le faceva davanti al portone chiuso dell'ospizio. Senza avere cuore di suonarlo il campanello, senza averlo il coraggio di dire: – Rorò ci siamo, – diceva invece: – ... domani alla solita ora Rorò, intesi? non mi fare lo scherzo eh eh?... lo scherzo che muori prima e mi lasci solo. Ah lazzarone non ti permettere! E che? tutto tu vuoi? la nascita e la morte? Primo nell'una e primo nell'altra?... no! eh!? questa volta a me tocca a me... tu ti sei preso la nascita... io la morte... sennò speriamo insieme tu e io. Lo stesso istante non un attimo prima né uno dopo prometti?... Non mi fare lo scherzo! hai promesso...

Arrivati alle promesse il portone era già aperto a mezz'anta. Davanti, un tizio, l'ausiliario d'ogni sera, con zoccoli grandi ai piedi e un odore insopportabile di birra addosso.

Ogni sera la stessa storia, pareva dicesse il tizio in attesa di riprendersi la carrozzina e Rorò.

Ogni sera questo pazzo rimbambito che parla parla e mi lascia qui davanti come un minchione...

Ogni sera Sasà si scusava puntalmente con mille convenevoli, tale accorato che il portantino rinunciava a rimproverarlo forse – pensava Sasà – per via che i vecchi nessuno li piglia sul serio.

Lui comunque si scusava con grande riguardo col portantino (chissà la sera appresso glielo faceva stare un minuto in piú con Rorò. Quella la speranza).

Di che si scusava infine? di volersi aggrappare a un troncone di vita che se n'andava sempre piú lontano da lui, come una conchiglia quando se ne va e sceglie per sé un altro scoglio?

Non poteva piú sceglierselo un altro scoglio, non c'era piú tempo. Né poteva farlo Rorò. Tardi era per l'uno e per l'altro. Lo scoglio vecchio inerme quello era e quello doveva restare.

Il portone si chiudeva infine con una pedata, con un botto che Sasà sentiva pure dentro l'orecchio sordo.

Per fortuna giusto in tempo a che il piccolo gomitolo di lagrime raccolte nell'incavo delle costole sul torace non gli facesse umido al petto.

Poi per strada continuava sottovoce a parlare con Rorò: – ... Rorò domani alla stessa ora alla Villa sicuro vedrai che pomeriggio che sole... il Cataratta d'invidia lo facciamo morire... la carognata... ricordi?... il telegramma... scherzi niente intesi? intesi?

Qualche volta, quand'era certo che solo la luna potesse sentirlo, alzava la voce mentre le gambe riprendevano forza ormai a metà di via delle Croci, dov'era la sua casa.

Pure se non c'era che uno svaso di luna quella sera in via delle Croci, con gli occhietti da sorcio frastornati da qualche lacrima, Sasà guardò per terra tra le basole nere se mai c'era il guscio o la zampa o la testina della tartaruga Giuda.

No! non c'era! per fortuna non c'era! L'avrebbe vista

piú tardi o domani sbucare dal lavandino o chissà da dove. Vispa e grassa come sempre.

Sulla tovaglia di plastica del tavolino poggiò il piatto con la lattuga cotta, ci mise un bel po' a trovare l'olio. La lattuga non sapeva di niente, s'era scordato di mettere il sale nell'acqua della bollitura. Come sempre.

Dal lavandino sbucò un occhio. Poi l'altro della tartaruga Giuda che gocciolava come il vaso di basilico quando Sasà abbondava con l'acqua.

Segno che Giuda era stata ad aspettarlo al fresco, sotto il lavandino che perdeva già da un anno.

– Dovrò compiacerlo per un po' di tempo quel caprone del Cataratta... un giorno o l'altro la casa mi si allaga... e pure un filo elettrico scoperto c'è nel cesso... – pensò Sasà mentre insaporiva con pezzetti d'aglio crudo la lattuga bollita.

Per la lattuga non ci volle che qualche minuto, nemmeno la fatica di masticare. Sotto l'acqua del rubinetto Sasà lavò il piatto che rimase con l'olio addosso, e andò a coricarsi al buio perché la bagiú sul comodino aveva l'interruttore rotto.

Come ogni sera stava per tirarsi sugli occhi la coperta di filo e sparirci sotto col suo mucchietto d'ossa silenziose quando uno spicchio di luna snidando per la tapparella andò ad accucciarsi in quella sua scarda d'occhio nero.

Sasà pensò che, se proprio non gli riusciva d'impiccarcisi all'albero di Giuda, avrebbe acconsentito anche a morire di morte naturale, pure se gli toccava aspettare ancora, a patto però di morire prima di Rorò, anche solo un attimo prima...

– Ma no! che bestialità vado dicendo? – si rimproverò come a rimangiarselo quel cattivo pensiero. – Sempre cretino sono, pure a quest'età?

No. Voleva rispettarlo l'impegno. Insieme a Rorò voleva morire. Non un attimo prima né uno dopo, ma nello stesso istante. Insieme.

Stampato per conto della Casa editrice Einaudi
presso Milanostampa s.p.a., Farigliano (Cuneo)
nel mese di febbraio 1997

C.L. 13998

Ristampa							Anno			
0	1	2	3	4	5	6	1997	1998	1999	2000